Y GWAITH A'I BOBL

Llyfrau Llafar Gwlad

Y Gwaith a'i Bobl

Robert William Williams
(Robin Band)

Gol. Alun Jones

I'r tair cenhedlaeth:
Nanw
Elfed a Jane
Berta a Tomos

Argraffiad cyntaf: 2015

(h) Robert William Williams/Gwasg Carreg Gwalch

Bydd breindal y gyfrol hon yn cael ei gyfrannu i gronfa Ambiwlans Awyr Cymru.

Rhif rhyngwladol: 978-1-84527-505-1

Mae'r cyhoeddwr yn cydnabod cefnogaeth ariannol
Cyngor Llyfrau Cymru

Cynllun clawr: Sion Ilar

Cyhoeddwyd gan Wasg Carreg Gwalch,
12 Iard yr Orsaf, Llanrwst, Conwy, LL26 0EH.
Ffôn: 01492 642031 Ffacs: 01492 641502
e-bost: llyfrau@carreg-gwalch.com
lle ar y we: www.carreg-gwalch.com

Argraffwyd a chyhoeddwyd yng Nghymru.

Cynnwys

Cyflwyniad

'A thoc caf wrando tramp y traed.' Yn Nosbarth 1 yn Ysgol Pwllheli y deuthum i'n gyfarwydd â cherdd 'Cân yr Afon', Caradog Prichard. Wn i ddim pam na chawsom mohoni gan Thomas Elias Parry yn Ysgol Trefor – roedd yn gerdd addas i blant yr Hendra yn siŵr o fod. Byddai'r corn yn canu am chwarter wedi pedwar, ac ymhen llai na chwarter munud wedyn byddai'r pâr cyntaf o sgidiau hoelion mawr yn trampian yn frysiog o dan ffenast llofft bach, eu perchennog wedi sleifio i gongl yr iard frics a'r tu ôl i Garej Jim yn barod am y corn, a'i gydwybod yn dawel gan ei fod wedi aros yn nhiriogaeth y Gwaith cyn dringo dros y ffens ar y caniad. Yn fuan wedyn deuai trampian arall, fesul dau a thri, ac yna y llif mawr oedd yn dramp y traed go iawn. Gweithwyr yr Offis a'r Iard Frics oedd y rhain i gyd. Cymerai ryw ugain munud neu hanner awr i weithwyr y ponciau gyrraedd eu cartrefi ac i sŵn traed Dad gyrraedd y drws ffrynt. Ac er mai sgidiau hoelion mawr oeddan nhw un ac oll, roedd posib nabod ambell unigolyn dim ond wrth wrando tramp ei draed. A dyna un dull o ddysgu nabod.

A nabod yw hanfod y llyfr hwn. O garreg fawr ddeg tunnell ar hugain hyd at gôt ffwr ei fam a llygod bach yr Hen Bedwar, cawn ddarlun cynnes a chyforiog o hiwmor o'r Gwaith a'i bobl, a hynny mewn arddull dawel a chartrefol. O nabod yr awdur, dydi o ddim yn syndod fod y darlun at ei gilydd yn un cadarnhaol, a hynny heb fynd i ramanteiddio gwirion. Dydi o ddim yn syndod chwaith nad oes yr un o'r straeon digri'n stori ddifrïol. Ac mae o wedi llwyddo hefyd i gyfuno'r Gwaith a'r gweithwyr mewn modd sicr a chofiadwy, a hynny am nad gweithlu sydd yma, ond unigolion byw.

Mae fy rhan i yn y gorchwyl o droi stori Robin yn llyfr wedi bod yn un hawdd a phleserus. Dechreuodd pan ddywedodd Robin wrtha i ei fod wedi sgwennu rhywfaint o hanes y Gwaith yn ei gyfnod o ynghyd â mymryn o atgofion eraill, a bod 'yr hen beth Tir Du 'na', sef Dafydd Roberts (fy ngwas priodas flynyddoedd yn ôl) wedi ei roi ar gyfrifiadur. Anfonodd Dêf y ffeil ataf ac ar ôl ychydig dudalennau o ddarllen deuai'n amlwg fod yma ddeunydd llyfr. Wedi i mi ei orffen, dyma fynd ati i ailddarllen y llyfrau eraill am Drefor a'r Gwaith a chael fod hwn yn wahanol iddyn nhw i gyd. Anfonwyd y gwaith at Myrddin yng Ngharreg Gwalch ac ni chymerodd yntau ond chwinciad i'w gymeradwyo.

Yr egwyddor y cytunwyd arni wrth ddewis lluniau oedd cael rhai nas cyhoeddwyd mewn llyfrau eraill, cyn belled ag oedd modd. Er enghraifft, o'r holl gofgolofnau a ddeilliodd o'r Gwaith, yr enwocaf yw un Llywelyn Ein Llyw Olaf yng Nghilmeri. Ond go brin fod prinder o luniau o'r gofgolofn honno. Diolch i Emlyn Cullen, cawsom ddarlun nid yn unig o gofgolofn arall, ond darlun ohoni hefo'i gwneuthurwr, sef darlun o Johnnie Cullen a'r garreg goffa a gerfiodd yn 1952 i Gatrawd Gymreig Rhif 53 yn Hertogenbosch yn yr Iseldiroedd. A cafwyd profiad go ryfedd hefo'r lluniau hefyd. Gwyddai Robin fod gan Andrew Cavender lun addas ar gyfer un bennod, ac yn wir mi ddaeth y llun ar ddisg, a 370 arall i'w ganlyn, a'r rhan fwyaf o ddigon o'r rheini'n lluniau o Drefor. Cur pen go ddymunol.

Yr un mor ddymunol oedd cael darllen Atgofion Yncl John a dethol ohonyn nhw, a diolch i Dewi am ei gymwynas. Rydw i hefyd yn diolch yn arbennig i Dêf am fod ei waith o wedi gwneud fy ngwaith i'n llawer haws. Ac wrth gwrs, rydw i'n diolch i Robin am fynd ati i groniclo a rhannu, ac am y cyfle i gydweithio wrth baratoi'r llyfr, a hefyd yn fwy na dim iddo fo a Nanw am eu croeso a'u cyfeillgarwch a'u paneidiau.

Alun Jones

Gair i Gychwyn

Lobsgows o rywfaint o hanes y Gwaith yn Nhrefor, mân straeon yn ymwneud ag o, a phwt o hunangofiant ac atgofion yw'r llyfr hwn. Yn fwy na dim, rhyw nodiadau sydd yma, fel y bydd rhywfaint o'r hanes a'r straeon ar gael i'r oes a ddêl gan y byddai'n biti iddynt fynd rhwng y cŵn a'r brain. Mae o'n lobsgows am na fedraf feddwl am y gwaith oedd yn cael ei wneud yn y chwarel heb feddwl hefyd am y bobl oedd yn ei wneud o. Gan hynny, wrth fynd â chi o bonc i bonc yn y Gwaith yn rhan gyntaf y llyfr, byddaf yn sôn lawn cymaint am rai o'r bobl yr ydw i yn eu cysylltu â'r bonc ag am y gwaith a wneid ar y bonc honno.

Bu'r Gwaith, sef y chwarel ithfaen, yn fywoliaeth o ryw fath i'r rhan fwyaf o ddynion Trefor a'r pentrefi cyfagos o ganol y bedwaredd ganrif ar bymtheg hyd ddiwedd y 1950au, ac am ddegawd arall i raddau llai, a hwnnw'n gallu bod yn waith trwm a chaled eithriadol am y rhan fwyaf o'r amser. Ond lawn cyn bwysiced â bod yn fywoliaeth, bu'r Gwaith hefyd yn gyfle ac yn gychwyn i nifer dda o weithwyr a ddaeth yn grefftwyr ardderchog, a hynny mewn amrywiaeth eang o grefftau. Y cyfnod prysuraf yn ei hanes, o ran cyflogi, oedd dechrau dauddegau'r ugeinfed ganrif pryd y cyflogid tua saith gant o weithwyr. Mae gen i gof am tua phum cant yn gweithio yno am gyfnod ar ôl yr ail Ryfel Byd. Fel Gwaith Mawr y caiff ei adnabod gan drigolion y pentrefi cyfagos, ond yn Nhrefor ei hun dim ond fel y Gwaith y cyfeirir ato. Does dim angen gwell cadarnhad o hyn na Robert Owen Thomas, neu Robin Ŵan, yn mynd i'r Offis i chwilio am waith. Sais oedd pendragon yr Offis y diwrnod hwnnw, ond doedd hynny'n mennu dim ar Robin gan fod ganddo hen ddigon o Saesneg i ddweud ei neges: '*I want a quarry*'. Ac o sôn am Robin, mi enillodd ddwy fil o bunnau ar y pyllau pêl-droed ryw dro tua diwedd y tridegau. Roedd hwnnw'n swm anferth wrth gwrs, yn gyfystyr â deuddeng mlynedd a rhagor o gyflog bryd hynny. Mi ddaru Mr Darbi, pennaeth y Gwaith, ei longyfarch ar ei lwyddiant, a'r ateb a gafodd oedd 'I'r pant y rhed y dŵr'.

Mae gennyf ddiddordeb mawr yn y Gwaith ers pan oeddwn yn fach, pan fyddwn yn mynd i fyny hefo Nhad ar fore Sadwrn a smalio gwneud sets (cerrig palmantu) hefo morthwyl bach a gefais gan Dafydd Jones, Llwyn y Brig. Fel amryw eraill o'r pentref bûm innau'n cerdded i fyny Lôn Reifl i gael bechdan gwaith o dun bwyd Nhad. Jam neu gaws fyddai yn honno fel rheol, ac er ei bod wedi hen sychu erbyn i mi gael fy ngheg amdani, eto doedd dim byd tebyg iddi o ran blas am mai bechdan gwaith oedd hi.

Roedd fy nau daid yn gweithio yno hefyd yn eu dydd, y naill fel setsiwr a'r llall yn feinar. Hefyd roedd tri brawd i Nhad yno yn ogystal ag unig frawd Mam, felly mae'r dynfa yn naturiol yn eithaf cryf. Mae cysylltiad arall hefyd, cryfach. Cafodd fy nhaid a fy nghefnder ill dau eu lladd yn y Gwaith, fy nhaid yn 1914, a fy nghefnder yn 1948. Hyd y gwn i, dyma'r unig ddau o'r un teulu i gael eu lladd yno yn ystod yr holl flynyddoedd. Roedd y ddau yn byw yn Rhif 13 Sea View (Trem y Môr bellach).

Mae hanes y Gwaith i'w gael mewn llyfrau, pedwar yn arbennig. Mae'r cyntaf, 'Pentref Trefor a Chwarel yr Eifl' (1972) gan y diweddar Gwilym Owen, oedd â phrofiad helaeth o weithio yn y Gwaith am gryn amser. Fo piau'r ail hefyd, sef 'Dan Gysgod yr Eifl' (1978), hunangofiant sy'n cynnwys cryn dipyn o sôn am y Gwaith. 'Chwareli Ithfaen Pen Llŷn' (1990), gan y diweddar Ioan Mai Evans yw'r trydydd. Bu yntau'n gweithio yn y Gwaith hefo'i dad, T. E. Evans, oedd yn cael ei gyfrif yn setsiwr mawr a phob amser yn patro ar ei draed (mi eglura i y gair a'r dull yma wrth drafod y setsiwrs yn nes ymlaen). Y pedwerydd llyfr yw 'Trefor' (2006), gan Geraint Jones a Dafydd Williams, llyfr sy'n canolbwyntio ar ddechreuad y Gwaith a'r blynyddoedd cynnar hyd at droad y ganrif. Rwyf wedi manteisio'n ddiolchgar ar y llyfrau yma yn y crynodeb o'r hanes a geir yn y bennod nesaf.

Rwyf hefyd yn diolch i'r rhai a ganlyn: Andrew Cavender, Llanystumdwy; Emlyn Cullen, Edwina Lloyd Hughes, William Hugh Hughes, Hugh a Gwyneth Humphreys a Gwyn Roberts (i gyd o Drefor), am gael benthyg rhai o'r lluniau; Dewi Williams, Penmorfa, am roi benthyg copi o atgofion ei daid i mi (Atgofion Yncl John); Llywarch Bowen Jones, Trefor, am ei ganiatâd brwd i gael dyfynnu o gerdd ei dad, Twm Gwydir Bach, i Gôr Wil Parsal; Fy wyres, Berta, am ei chymorth; Dafydd Roberts, Tir Du, am ei anogaeth a'i lafur yn rhoi'r gwaith ar ffeil gyfrifiadur; Alun Jones, Sarn am roi trefn ar y llyfr, ei olygu a'i dywys drwy'r Wasg, a hefyd am y Cyflwyniad; Myrddin ap Dafydd yng Ngwasg Carreg Gwalch am ei ddiddordeb, ac i'r Wasg am waith glân a thaclus.

1 Yn y dechreuad

Yn fy marn i, nid oes olygfa debyg i'r un a welwch wrth deithio i gyfeiriad Pwllheli o Gaernarfon ar ddiwedd wal Stâd Glynllifon, lle mae'r ffordd yn troi i fyny am Ben-y-groes. Gwelir mynyddoedd y Gyrn Goch a'r Gyrn Ddu ar y chwith a mynyddoedd yr Eifl yn eich wynebu, a phan fydd yr haul yn tywynnu mae'n eu dangos yn eu holl ysblander ac mae'r olygfa'n mynd â'ch gwynt am sbel.

Ys gwn i a ydi o wedi croesi'ch meddwl wrth i chi deithio ar hyd y ffordd yma gymaint o lafur caled sydd wedi bod ar y mynydd sydd â'i draed yn y môr islaw, sef Mynydd Gwaith, neu Mynydd Garnfor i roi ei enw iawn iddo, enw na chlywir mohono fyth bron yn Nhrefor ei hun. Mae'n edrych fel rhyw greadur esgyrnog creithiog. Bu prysurdeb mawr a llafur caled, caled iawn, ar y creadur esgyrnog hwn.

Rwyf finnau'n setsiwr bychan. Yng nghanol y sets a'r cerrig hefo Mam (ar y chwith) a Miss Roberts Nebo, athrawes yn Ysgol Trefor

Roedd y Gwaith yn eithriadol bwysig i Drefor a'r ardaloedd cyfagos, yr un mor bwysig ag oedd y chwareli llechi yn eu hardaloedd hwythau. Teimlaf yn aml fod y chwareli llechi yn cael mwy o sylw o lawer; wrth gwrs, roeddynt yn cyflogi llawer iawn mwy o weithwyr. Eto, roedd yn rhaid cael rhyw adeilad i ddal y llechi to, a cherrig oedd y rhain yn amlach na pheidio. Dyna fi wedi cael fy mhwt i mewn ond meddyliwch am funud faint o chwareli cerrig oedd mewn rhyw gylch o wyth milltir i Drefor. Roedd cryn ddwsin ohonynt; rhai yn cyflogi digon ychydig ond eto yn rhoi bywoliaeth o ryw fath i'r trigolion.

Yn wahanol i'r chwareli llechi, doedd aflwydd afiechyd y llwch ddim yn digwydd yn y gweithfeydd cerrig i'r un graddau. Mae'n debyg fod bywyd bob dydd y dynion yn eithaf tebyg. Pan oeddwn yn gweithio yn Ffatri Ferodo yng Nghaernarfon, daeth llawer o gyffiniau Llanberis a Deiniolen i weithio yno a theimlwn fy mod yn medru cymysgu hefo'r dynion yma yn rhwydd iawn gan mai cyn-chwarelwyr oeddent bron i gyd ac roedd yna dipyn o agosatrwydd. Wrth gwrs, roedd yna gryn dipyn o dynnu coes yn digwydd hefyd rhwng dynion y llechi a dynion y cerrig. Gweithio shifftiau oeddwn yn Ferodo ac roedd y lle'n dipyn gwahanol i'r Gwaith, ond roedd ambell ddigwyddiad yno a'r hiwmor oedd yn mynd hefo fo'n debyg iawn. Ar un achlysur, roeddwn yn gweithio ar y shifft 2-10, a hithau'n brynhawn eithriadol o braf. Gan ein bod yn handlo pethau digon trwm caem esgidiau pwrpasol i'w gwisgo. Y goruchwyliwr ar y shifft oedd John Wesley Evans a phwy gerddodd i mewn ond Eric Bach, dyn bychan o'r Felinheli, a rhyw sansiws bach duon am ei draed. A dyma John yn edrych yn syn ar ei draed o a gofyn, 'Eric, lle ddiawl mae dy bwcad a rhaw di?'

Sut y daeth y Gwaith i fodolaeth? Mae'r stori'n dechrau gyda dyn o'r enw Samuel Holland, oedd yn frodor o Lerpwl ac yn fab i ddyn busnes yn y ddinas honno. Roedd gan y tad ran mewn gwaith copor ym Mron y Gadair ger Porthmadog a chwarel lechi Rhiwbryfdir, Blaenau Ffestiniog. Pan oedd Samuel tua deunaw oed daeth yn rheolwr ar y gweithfeydd hyn ac ymhen rhai blynyddoedd aeth yn siarog hefo John Greaves, dyn y llechi o Stiniog, i weithio gwaith mwyn haearn yng nghyffiniau Llanengan yn Llŷn. Yn 1843, pan aeth pethau o chwith yn y gwaith mwyn haearn, prynodd Samuel yr hawl i weithio mynydd y Gwylwyr yn Nefyn. Gwelodd ar unwaith fod yn y Gwylwyr garreg hynod o addas ar gyfer y farchnad sets. Roedd hon yn farchnad newydd oedd yn dechrau datblygu ar raddfa eang, a'r cerrig yma, y sets, yn cael eu defnyddio i balmantu'r dinasoedd mawr, gwaith oedd yn mynd rhagddo ar raddfa eang iawn o tua 1840 ymlaen. Fe gyflogodd Samuel Holland ddynion oedd â phrofiad o drin cerrig, a'r rhan fwyaf o'r gweithwyr hyn yn cael eu denu o'r ardaloedd o gwmpas Penmaenmawr. Roedd y rhain wedyn yn rhannu eu gwybodaeth ac yn dysgu'r dynion lleol yn y grefft o wneud sets. Cludid y sets i'w marchnadoedd gan longau bychan oedd yn dod i gei bach yn Nefyn.

Bu Holland yn eithriadol o ffodus yn ei oruchwyliwr (fforman), sef dyn o'r enw Trevor Jones o Nebo, ger Llanllyfni, dyn a ddaeth i amlygrwydd yn ddiweddarach oherwydd ei enw. Roedd o'n ddyn cydwybodol ac onest ac ar ben hynny yn ddyn medrus iawn. Cadwodd ei swydd fel goruchwyliwr pan werthodd Samuel Holland y Gwylwyr i ddau ddyn arall o Lerpwl, James Hutton a Stanley Roscoe, ymhen ychydig flynyddoedd. Aeth Samuel Holland

Y garreg yn y gymdeithas. Adeiladwaith Eglwys San Siôr, Trefor (uchod) a thai Croeshigol.

yn ôl i Feirionnydd at y chwareli llechi a ddaeth ei gysylltiad â'r chwareli ithfaen i ben.

Ymhen ychydig flynyddoedd, clywodd Hutton a Roscoe fod pobl a oedd yn byw mewn bythynnod ar lethrau'r Eifl wedi dechrau gwneud sets o ryw fath yn y Gorllwyn yn yr Hendra (yr hen enw ar bentref Trefor) a bod merched a phlant yn eu cario mewn basgedi gwiail i gychod bach, a'r rhain yn eu cludo wedyn i gychod mwy yn y bae. Pan welodd Hutton, Roscoe, a Trevor Jones ansawdd y garreg yma a'i bod o safon uchel iawn, aethant ati ar unwaith i agor ponc ar ochor orllewinol y mynydd, sef Craig y Farchas. Mae'r bonc hon wedi hen ddiflannu dan rwbel diweddarach y Gwaith. Trevor Jones oedd yn gyfrifol am y gwaith yma i gyd ac yn 1854 agorwyd y bonc gyntaf fel y mae i'w gweld heddiw. Bellach roedd teuluoedd o Gernyw, Caerlŷr, ac ardaloedd cylch Penmaenmawr yn dod i weithio i waith yr Hendra, ac yn 1856 gosodwyd carreg sylfaen tŷ cyntaf y rhes gyntaf o dai a ddeuai yn y man yn bentref. Ac fel gwerthfawrogiad o waith Trevor Jones, dyma Hutton a Roscoe yn penderfynu galw'r pentref newydd yn Trevor, ac felly'r aeth yr Hendref neu'r Hendra yn Drevor. Yn ddiweddarach, yr un fu'r ymdrech i gael Trevor yn Drefor â'r ymdrechion y bu gofyn eu gwneud i Conway fynd yn Gonwy, Dolgelley yn Ddolgellau, a Charnarvon yn Gaernarfon.

Mi ddatblygodd y Gwaith i fod y gwaith sets mwyaf yn Ewrop ar un adeg. Mi aeth y cwmni wedyn yn Welsh Granite, sef chwareli y Gwylwyr; Tŷ Mawr, Pistyll a'r Eifl. Wedyn y daeth yn Penmaenmawr and Welsh Granite Co Ltd pan ddaeth teulu'r Darbishires i'r Cwmni yn 1864. Bu'r teulu hwn ynghlwm â'r Cwmni am gan mlynedd o leiaf. Yr oeddent yn iawn i weithio iddynt, a chofiaf Stephen Darbishire yn dda.

2   Y Ponciau Uchaf

Wel rŵan, rwyf am fynd â chi ar daith drwy'r Gwaith fel yr wyf fi yn ei gofio, ac o hyn ymlaen, cawn gyfarfod ag ambell gymeriad lliwgar a hoffus a chlywed ambell stori a glywais gan fy nhad, Huw Jones Lan Môr, William Jones Ysgubor Wen ac amryw eraill.

Mae'r Gwaith wedi ei rannu'n boncydd. Os ewch i fyny'r inclên serth o'r Offis, oedd ryw ddau neu dri munud o gerdded o ganol pentref Trefor, a heibio i hen safle'r Brêc Newydd uwchlaw Pont Sychnant, y bonc gyntaf y dowch iddi yw Bonc Dwll (o *Bank* yn y cofnodion ffurfiol). Wedyn mae Bonc Isa (*No. 1 Bank*); Bonc Ganol (*No. 2 Bank*); Bonc Drydydd; Bonc Bach; Bonc Newydd neu'r Bumed Bonc; Bonc Chwechad; Bonc Seithfad, a Bonc Wythfad. Roedd inclên rhwng pob ponc hefyd yn ogystal â grisiau cerrig oedd yn gallu bod yn beryg bywyd gan eu bod mor llithrig. Pe baech yn dewis mynd i'r Gwaith drwy gerdded i fyny'r lôn o Gae Cropa a heibio i Fron Olau, caech ddewis o lwybrau ym mhen ucha'r lôn honno i fynd â chi i fyny'r tipiau i wahanol boncydd. I ben uchaf y lôn hon hefyd y deuai'r llwybr o gyfeiriad Llanaelhaearn, llwybr oedd yn cychwyn o'r ffordd uwchlaw Gallt Geiliog.

Mi gychwynnwn ar Bonc Wythfad, sef y bonc uchaf yn y Gwaith. Cafodd y bonc yma ei hagor yn gymharol ddiweddar yn hanes y Gwaith a dim ond malu fu'n mynd ymlaen yma, sef malu'r cerrig ar gyfer y Felin Falu, neu'r cryshar, a ddaeth i Drefor yn yr 1920au. Roedd hyn yn waith eithriadol o galed. Roedd yn rhaid malu'r cerrig fel y medrid eu codi i wagen geg agored, sef wagen hefo dau dalcen ac un ochor. Yn ychwanegol at y malu a'r llwytho, roedd gofyn adeiladu rhyw fath o wal ar geg y wagen rhag ofn i'r llwyth chwalu ar ei ffordd i lawr y gelltydd serth i'r cryshar. I wneud cyflog byw, mi fyddai gofyn llwytho tuag wyth wagen y dydd a'r rhain i gyd yn dal tua dwy dunnell a hanner yr un. Cryn dipyn o waith!

Yr un math o waith, sef malu, oedd yn digwydd yn Bonc Seithfad a Bonc Chwechad. Mi aeth Bonc Chwechad yn ddim bron wrth i'r bumed bonc, Bonc Newydd, gael ei hymestyn. Un enw cyffredin a roddid ar lwyth o'r cerrig malu yma oedd llwyth o sbôls, o'r gair Saesneg *spalls*, sy'n golygu sglodion, neu rywbeth felly. Mae'n debyg mai wedi ĕi fathu o'r gair yma mae sbôls sy'n golygu rhywbeth heb ddim math o siâp arno.

Ymhen rhai blynyddoedd, tua diwedd y 1930au, mi ddaru'r math yma o weithio, sef malu, wneud i ffwrdd yn raddol â'r fasnach sets wrth i honno wanychu, ac felly fu dim llawer o wneud sets ar ôl yr ail Ryfel Byd. Roedd safon gwenithfaen Trefor yn well nag unrhyw un arall ym Mhrydain, hyd yn oed Aberdeen neu y *Granite City* fel y'i gelwid, ac roedd oes sets Trefor tua phump i saith mlynedd yn hwy na rhai Aberdeen. Roedd oes y sets o Drefor a oedd yn palmantu strydoedd y dinasoedd mawr tuag ugain neu bum mlynedd ar hugain. Ar ddiwedd y cyfnod hwnnw byddent yn cael eu codi a'u trwsio, a defnyddio gair y gweithwyr, a'u hailddefnyddio. Byddai gweithwyr o Drefor a Phenmaenmawr yn mynd i'r dinasoedd yma i wneud y gwaith. Mantais fawr y sets pan oedd ceffylau a throliau yn cael eu defnyddio i gario nwyddau oedd eu bod yn arbed y ceffyl rhag llithro. Byddai ei bedol yn dal ar ymyl y setsan am na fyddai'r rhain yn hollol wastad, wrth gwrs.

Ymlaen rŵan i egluro mwy am y malu. Mi fyddai'r cerrig oedd yn dod i'r cryshar yn cael eu malu yn gyntaf gan y genau enfawr oedd arno. Roedd y derbyniad i'r cryshar, neu y siŵt fel y'i gelwid, yn Bonc Isa. Gelwid y genau enfawr oedd ar y cryshar yn *jaws*. Roedd un rhan i'r genau yn sownd a'r rhan arall yn symud, yn union fel ein genau ni. Gan fod y rhan oedd yn symud yn ôl a blaen ar echel nad oedd yn hollol grwn, roedd yn malu'r cerrig a'r rheini'n mynd oddi yno i gryshars llai. Yr enw ar y cryshars llai oedd 'cone cryshars'. Top mawr haearn yn troi yn igam-ogam mewn powlen enfawr oedd hwn gan falu'r cerrig yn fanach eto. Wedyn, byddai'r cerrig yn syrthio i wahanol ograu i'w dosbarthu yn ôl eu maint i finiau yn yr hopar mawr o dan y felin, yn barod i'r wagenni eu cludo ymlaen ar eu siwrnai. Byddai dynion yn defnyddio bachau haearn hir i bwnio'r cerrig i ofalu nad oeddent yn clymu yn ei gilydd yng ngheg y safnau.

Ar Ddydd Gŵyl Ddewi 1928, yn fuan ar ôl agor y cryshar, bu damwain angheuol yno yn y bin llwch. Roedd y llwch yn wlyb ac yn 'cau rhedeg i lawr. Aeth dau ddyn i lawr i'r bin ar raff i lacio'r llwch a phan oeddent wrth y gwaith, dyma'r llwch yn rhedeg. Gwasgwyd un a'i fygu i farwolaeth, sef Wmffra Jones o 57 Ffordd yr Eifl, ond fe achubwyd y llall, Fred Cox, er iddo gael ei glwyfo dipyn. Roedd Wmffra Jones yn aelod gyda'r Bedyddwyr yng Nghapel Bethania, ac wrth ei goffáu mewn oedfa dyma un o'r diaconiaid, Griffith Jones (Peilot) yn dyfynnu'r geiriau o Efengyl Mathew (24:41): 'Dau a fydd yn malu mewn melin; un a gymmerir a'r llall a adewir', a'r dagrau'n powlio i lawr ei ruddiau. Roedd gwaith curo ar yr hen gymeriadau annwyl

15

Bellach mae'r setsan yn addurn. Setsan giwb yn fy nwylo (uchod) ac ar fwrdd llechen yn yr ardd (canol). A defnydd newydd i hen sets (isod), yn ddau gylch yn yr ardd ffrynt.

hyn. 51 oed oedd Wmffra Jones ac roedd ganddo deulu mawr hefyd; merch iddo oedd Annie Mary a fu'n gweithio ar y Moto Coch am flynyddoedd.

Roedd rhyw bump neu chwech o ddynion yn gweithio yn wastadol yn y felin, ac roedd yn lle llychlyd ofnadwy. Wedi i chi fod yn gweithio yno am ryw ddiwrnod, byddai eich ffroenau wedi cau ac yn llwch i gyd. George Baum, a fagodd enw iddo'i hun fel eisteddfotwr a chanwr gwerin, oedd yn gyfrifol am redeg y felin a Thomas Owen yn ail iddo. Dyn gweithgar a chydwybodol iawn oedd Thomas a byddai'n sefyll yn aml yn y fan uchaf yn y felin fel y gallai weld y lle i gyd, rhag ofn tân gan fod y lle yn goed i gyd. Roedd gan Twm ei dric bach ei hun. Byddai ganddo bob amser ryw ychydig bach o lwch fel twmpath twrch daear yn ei ymyl, a phan fyddai'n gweld rhywun go bwysig yn dod drwy'r drws byddai'n rhoi cic i'r twmpath nes byddai hwnnw'n chwalu dros y person anlwcus a neb yn gwybod o ble roedd y llwch wedi dod! Roeddem yn gweithio yno un diwrnod a Twm yn sefyll yn ei le arferol a sodlau ei esgidau hoelion mawr ar y rêls ac Edgar Thomas yn weldio i lawr oddi tano. Dyma Edgar yn trawo rhyw fymryn o weld ar ddwy bedol Twm a dyma rywun arall yn gweiddi 'Tân!' Ceisiodd 'rhen Dwm ruthro cychwyn, ond roedd ei sgidiau'n sownd yn y rêls. Wel sôn am eirfa las ac yntau'n dal i drio mynd. Ond mi gymerodd yr hwyl i gyd yn y diwedd. Doedd dim dewis, wrth gwrs, felly roedd hi yn y Gwaith; os na fedrech gymryd a rhoi, wel Duw a'ch helpo. Ac er ei bod hi'n stori yn ei erbyn ei hun, byddai Twm wrth ei fodd yn ei hailadrodd pan oedd yn ofalwr y Rŵm Snwcar yn y Rhyt flynyddoedd yn ddiweddarach.

Wedi rhoi rhyw fath o bictiwr i chi o hanes y malu a diwedd y daith i'r cerrig, awn yn ôl am eiliad i Bonc Wythfad, lle'r oedd y malu'n digwydd. William Japheth oedd un o'r cymeriadau oedd yn gweithio yn Bonc Wythfad, ac mae ei deulu'n dal i fyw yn Nhrefor heddiw. Un noson serog braf a chriw yn sgwrsio ar Ben Hendra (Y Sgwâr yn Nhrefor) a William yn eu mysg, dyma Dic Pencae yn gofyn iddo 'yn lle 'dach chi wrthi rŵan William?', gan olygu pa ran o'r Gwaith, wrth gwrs. Dyma William yn ei dynnu allan i ganol y lôn ac yn cyfeirio ei law at seren eithriadol ddisglair uwchben y mynydd. 'Dic bach, taswn i yna rŵan, mi fasa'n rhaid i mi wyro 'mhen rhag i mi drawo'r seran 'na!'

Mi ddaeth yn ofynnol i bob gweithiwr ar y poncydd wisgo helmed ryw dro tua dechrau'r pumdegau, oherwydd rheolau Iechyd a Diogelwch. Doedd hyn ddim yn mynd i lawr hefo amryw o'r dynion gan gynnwys William, a oedd yn cael cerydd yn bur aml am beidio â gwisgo'r helmed. Yn y cyfnod hwn roedd

17

dogni ar fwyd a hwnnw'n ddigon prin yn aml, a dim gobaith am sgram. Dyn o'r enw John Strachey oedd yn gyfrifol am y dogni ar ran y Llywodraeth, neu Jon Strachi ar lafar. Y dyn oedd yn gorfod gofalu fod pawb yn gwisgo helmed yn y Gwaith oedd John Williams, Tŵr. Roedd hi wedi bod yn bur ddrwg rhwng John Williams a William wrth iddi dynnu at amser cinio un diwrnod a John Williams wedi bod yn reit gas hefo William am beidio â gwrando arno. Wedi cyrraedd y cwt byta, dyma William yn eistedd wrth y bwrdd yn ddigon penisel gan agor ei dun bwyd. Roedd cynnwys hwnnw, fel cynnwys y tuniau bwyd eraill, yn ddigon llwm. Wrth edrych arno, a chyda rhyw ochenaid, dyma William yn dweud 'Biti ar y diawl na fysa'r John Strachi 'na mor ofalus o 'mol i ag ydi John Wilias Tŵr o 'mhen i!'

Cymeriad arall oedd yn malu oedd Robert Brew, neu Brew fel y'i gelwid. Roedd Robin yn giamstar ar wneud cychod a hynny hefo offer cyntefig iawn, a dweud y gwir. Math o bynt bychan oedd y cwch cyntaf i Brew ei adeiladu; un digon di-siâp oedd o ac fe'i bedyddiwyd yn Sbolsyn, y cwch enwocaf gan blant yr Hendra yn ddiamau. Erbyn meddwl, mae'n siŵr mai o'r gair sbôls y daeth yr enw am ei fod mor ddi-siâp â sbolsan ond, chwarae teg i Brew, mi wnaeth gychod taclus iawn wedyn.

Roedd Brew wrth ei waith un diwrnod a phwy ddaeth heibio ond Stephen Darbishire, Pennaeth y Gwaith a chyfranddalwr yn y Cwmni. Roedd ganddo yntau gwch ar y traeth ac yn nabod Brew yn dda. Dyma fo'n gofyn iddo fo, '*How's my boat coming on, Robin?*' '*What do you mean, **my** boat?*' meddai Brew. '*Well,*' meddai Mr Darbishire, '*you've got all my materials,*' a cherdded oddi wrtho dan wenu. Ychydig ddyddiau ynghynt roedd Brew wedi mynd â choedyn hen fegin fawr a fyddai'n chwythu tân yr efail adref hefo fo. Roedd y math yma o bren yn goedyn da ac yn ddelfrydol ar gyfer gwneud starn cwch y siâp iawn. Doedd yr hen Ddarbi'n colli fawr ddim ac mae'n siŵr fod ganddo lygaid slei mewn amryw o boncydd, ond roedd 'rhen Brew yn ddigon o foi iddo!

3   Bonc Newydd

Mae gwaelod yr inclên sy'n arwain i fyny at Bonc Chwechad ym mhen pellaf Bonc Newydd, neu'r bumed bonc. Hon oedd y bonc fwyaf yn y Gwaith, ac i hon y deuai'r ffordd i gerbydau o Lithfaen, yr unig fodd bryd hynny i gyrraedd y Gwaith mewn car neu lorri. Wrth gerdded draw o waelod yr inclên, ar y chwith, fe welwn galon neu ysgyfaint y Gwaith. Hwn yw'r *Power House*. Roedd hwn yn adeilad gwych, o waith y seiri meini gorau, ac wedi'i adeiladu hefo cerrig y Gwaith wrth gwrs. Y tu ôl i'r adeilad roedd cronfa ddŵr wedi ei hadeiladu, yn debyg i bwll nofio. Pwrpas hon oedd oeri'r cywasgwr, neu'r compresar, drwy bwmpio'r dŵr oer drwodd. Clywais y byddai Mr Darbi yn ymdrochi yn y gronfa ddŵr. Welais i erioed mohono yn gwneud hynny, ond dyna oedd y si. Wrth gamu i mewn i'r Pŵar Hyws, gwelid fod y lle yn bictiwr o daclusrwydd. Y gofalwr yn fy nghyfnod i oedd Robert Isaac Roberts. Roedd y llawr cerrig coch yn sgleinio'n ddigon glân i chi fedru bwyta oddi arno, a phapurau yma ac acw ar lawr i chi gamu arnynt rhag i'r esgidiau hoelion mawr amharu ar y teils. Gwyrdd gweddol dywyll oedd lliw y peiriant mawr ei hun, y cywasgydd, a hwn oedd yn cynhyrchu aer i'r Gwaith i gyd. Cwmni Ingelsol Rand oedd wedi ei wneud. Roedd y peipiau copr a'r tapiau pres yn sgleinio fel sofren. Dyma i chi wir brawf o ddyn yn cymryd balchder yn ei waith a phleser fyddai galw heibio Robat am sgwrs. Roedd o hefyd yn godwr canu gyda'r Bedyddwyr ym Methania.

Yn rhan o'r adeilad yma, wrth ei dalcen, roedd swyddfa fechan rheolwyr y Bonc, lle cadw'r loco Hunslet Diesel, yn ogystal â gweithdy bychan i atgyweirio'r peiriannau tyllu a'r peipiau aer. Roedd rhyw ddau neu dri yn gweithio yn y fan hyn ac ambell dro byddem ni, y ffitars, yn ei ddefnyddio a chael rhyw baned yno. Un o'r rhai oedd yn gweithio yno oedd Griffith Williams, neu Guto Bach i bobl Trefor. Un amser cinio, roeddwn yn bwyta yno hefo Guto ac wedi sylwi ei fod yn bwyta rhywbeth oedd yn debyg i greision. Yr adeg honno roedd y math yma o fwyd yn brin ddychrynllyd, ar wahân i'r rhai roedd Jôs Siop yn eu gwneud. Ond roedd y rhain yn feddal, a dyma fi'n gofyn i Guto lle cafodd o afael arnyn nhw. 'Nid crisps ydyn nhw', meddai, 'ond corn fflêcs hefo halan arnyn nhw ac maen nhw'n gwneud yr un pwrpas yn union ac yn dda iawn.' Cynigiodd rai i mi ond gwrthodais. Diolch, ond dim diolch. Roedd Guto yn greadur reit ddyfeisgar mewn llawer maes heblaw bwyd ac yn un eithriadol o dda ei law.

Ymlaen am Bonc Newydd ei hun rŵan. Yng nghongl y bonc yma roedd gwythïen fach o garreg binc, carreg anghyffredin iawn i Drefor. Ac yn ogystal â'r malu, yma y byddent yn cael y cerrig mawr. Roedd natur y graig yn Nhrefor yn frasach na gweithfeydd eraill fel Penmaenmawr ac roedd y dynion oedd yn gweithio ar drin a thorri'r cerrig yma yn brofiadol iawn. Byddai'r cerrig hyn yn cael eu defnyddio ar gyfer gwahanol weithgareddau gyda cherrig anferth yn mynd i Aberdeen ar gyfer gwneud rowlars i'r melinau papur ac i falu'r ffa mewn ffatrioedd siocled fel Cadburys. Cyn mynd am Aberdeen, byddai'r cerrig mawr yn cael eu torri i ryw 30 troedfedd wrth 4 troedfedd sgwâr a thua 20-30 tunnell o bwysau, felly gallwch feddwl am faint y cerrig hyn wrth iddynt syrthio i lawr o'r graig. Oherwydd maint a phwysau'r cerrig, deuai lorïau i'w nôl drwy Lithfaen, yn hytrach na defnyddio'r inclên. Byddai llawer lorri lwythog yn mynd o'r Gwaith i Lithfaen ac ymlaen i bentref y Ffôr a throi yno am Gaernarfon yn hytrach na straffaglio hefo'r ddwy allt o boptu Llanaelhaearn.

Yn Bonc Newydd hefyd y byddai'r cerrig yn cael eu llifio i'r fasnach gerrig beddi oedd yn prysur ennill ei phlwy yn y Gwaith. Yn Bonc Dwll y byddai hyn yn digwydd i ddechrau, ond cafwyd llif weiran yn Bonc Newydd, a honno'n hwyluso'r gwaith llifio ac yn golygu llawer llai o waith a sŵn. Mi soniaf fwy am hyn pan ddown ni i Bonc Dwll.

Carreg fawr yn cael ei pharatoi ar gyfer ei siwrnai i Aberdeen.

20

Roedd dau graen yn Bonc Newydd, un trydan ac un stêm, er mwyn tynnu'r cerrig o'r cwymp a'u llusgo i le addas i'r dynion weithio arnynt. Gwaith digon trwm ac oer iawn oedd cario'r tsaeniau ar gyfer y gwaith. Tom Roberts o Lanaelhaearn a gofiaf wrth y gwaith yma ac roedd yn gryn feistr arni. Dreifar y craen trydan oedd Griffith Griffiths o Lanaelhaearn a Jackie Sharpe o Drefor ar y craen stêm. Bu Hughie Jones a minnau yn gweithio, yn yr 1940au, yn adeiladu'r craen stêm ac roedd to sinc ar ran ohono. Dydd Mercher, y pedwerydd ar hugain o Fawrth 1948, dyma glec anferth yn Bonc Seithfad a Hughie yn gweiddi ar i ni fynd i mochal o dan y to. Daeth cawod o gerrig i mewn i'r craen ond roeddem ni yn ddiogel o dan y to sinc. Rhedodd Nhad atom rhag ofn fod

Ellis Evans (Eliseus) a'r moli mawr.

rhywbeth wedi digwydd i ni. Yna, daeth y newydd trist fod Stephen wedi'i ladd yn Bonc Seithfad oherwydd fod twll heb fynd allan, hynny yw, heb ffrwydro yn ei bryd. Malu oedd Stephen ond fe'i trawyd yn ei ben gan garreg. Roedd yn gefnder cyfan i mi, ac yn 43 oed. Cafodd gynhebrwng mawr iawn y dydd Sadwrn canlynol yn Llanaelhaearn. Bron bedair blynedd ar ddeg ar hugain ynghynt, ym Mai 1914, cawsai fy nhaid, William Williams ei ladd yn y Gwaith pan ddisgynnodd craig ar ei gefn.

Pan oeddid yn datblygu Bonc Newydd fe gynghorwyd penaethiaid a pheirianwyr y Gwaith gan ambell un y buasai'n fwy manteisiol iddynt weithio'r bedwerydd bonc (Bonc Bach) ymlaen at y graig yn hytrach nag agor ponc newydd yn uwch i fyny. Roedd y chwarelwyr profiadol yn sylweddoli mai at i lawr oedd y wythïen o'r cerrig bras yma yn rhedeg. Prun bynnag, gweithio ponc newydd a wnaed ac yn y diwedd aeth y wythïen cerrig mawr yn wannach. Flynyddoedd yn ddiweddarach, daeth Hugh Jones, mab yr hen oruchwyliwr, Griffith Jones, yno i weithio Bonc Newydd i ryw ffyrm o'r Alban. Er mwyn cael at y wythïen cerrig mawr yr hyn a wnaeth, gyda dynion lleol profiadol, oedd tyllu i lawr o Bonc Newydd. Roedd yn ddyn â phrofiad, yn deall y graig ac yn gwybod yn iawn beth i'w wneud.

Y dull o hollti cerrig mawr fyddai gosod plygiau a dail tyllu bob rhyw led llaw ar hyd y garreg. Roedd yn bwysig gwneud yn siŵr fod y plygiau'n rhedeg gyda gwythïen, neu raen y garreg, neu buasech yn cael 'toriad troed iâr' – hynny yw, toriad yn mynd i bob man. Anaml iawn y byddai hyn yn digwydd gan fod y dynion oedd yn trin y cerrig yn grefftwyr ardderchog ac yn gwybod ffordd y garreg i'r dim. Er hynny, mae'n rhaid dweud bod gofyn cael ambell un craffach na'i gilydd i weld ffordd y garreg galed yma ar brydiau.

Wedi rhoi'r dail a'r plygiau yn y tyllau, byddent yn sefyll ar y garreg ac yn curo'r plygiau gyda'r moli mawr (morthwyl 25 pwys) neu'r moli bach (morthwyl 18 pwys). Byddent yn gwybod ar sŵn tinc y moli wrth daro'r plygiau fod y garreg yn dechrau hollti ac felly'n gwneud eu hunain yn ddiogel ar y garreg pan fyddai'n hollti'n hollol lân yn y toriad. Roedd y dynion yma wedi dod i weithio yn y Gwaith yn syth o'r ysgol a'r rhan fwyaf wedi bod yn setswyr pan oedd y fasnach honno yn ei bri. Gweithio mewn deuoedd y byddai'r dynion ar y cerrig mawr ac ar fonws – hyn a hyn y droedfedd giwb.

Mae yna dipyn golew o grefft mewn malu cerrig; nid mater o guro cerrig hefo morthwyl mawr ydi o. Os oeddech wedi bod yn setsiwr neu'n trin y cerrig mewn unrhyw ffordd ac yn deall ffordd y garreg, roedd yn gwneud y gwaith yn rhywfaint ysgafnach. Enghraifft dda o hyn oedd Ifan Owen Parry o Gyrn Goch, dyn oedd yn deall y garreg i'r dim. Yn gyn-setsiwr, byddai'n gwneud y gwaith yn hamddenol braf heb dorri chwys o gwbl. Ar ôl darfod ei gyfrif ei hun, byddai'n rhoi rhyw lwyth neu ddau i'w frawd oedd yn briod a dau o blant ganddo. Gŵr di-briod oedd Ifan Owen ei hun a chymeriad hawddgar a hoffus iawn.

Ar ôl yr ail Ryfel Byd roedd y fasnach cerrig mân yn eithriadol o brysur, yn bennaf oherwydd ailwneud lonydd hefo macadam, a chyflogwyd llawer o ddynion hollol newydd i'r Gwaith, gyda'r rhan fwyaf a gyflogid ar gyfer y malu wedi dod o'r lluoedd arfog. Cymerai gryn amser i rai oedd yn ddiarth i'r gwaith newydd a chaled yma eu haddasu eu hunain iddo. Nid arhosodd rhai ohonynt ond am ychydig wythnosau cyn rhoi'r morthwyl yn y to, ond neb ynghynt na chymeriad nobl iawn o Bontllyfni oedd wedi bod yn y llynges adeg y rhyfel.

Yr adeg honno roedd Moto Coch yn rhedeg o Bontllyfni gan godi dynion Clynnog a Gyrn Goch ac unrhyw le arall ar y ffordd i Drefor. Wedi cyrraedd Trefor, byddai'r dynion yn cerdded i fyny i'r Gwaith, a rhyw fore Llun, un o'r dynion hynny oedd Rhys, oedd yn dechrau gweithio yn Bonc Newydd y bore hwnnw. Y Goruchwyliwr ar y pryd oedd Griffith Jones, tad Alun Jones, Llên Llŷn, y nofelydd. Yn rhinwedd ei swydd byddai'n mynd o gwmpas y bonc i wneud yn siŵr fod y newydd-ddyfodiaid yn weddol hapus ac wedi cael eu hoffer ac yn y blaen. Roedd y corn wedi mynd am 7.30 i ddynodi ei bod yn amser dechrau, ac wedi i Griffith fod o gwmpas cryn chwech i wyth o'r newydd-ddyfodiaid a hithau erbyn hyn sbel wedi wyth, sylweddolodd nad oedd wedi gweld Rhys a dyma ddechrau holi. Oedd, roedd rhai wedi'i weld yn y cwt byta. Dyma Griffith yn mynd am y cwt byta a phwy oedd yno â'i draed i fyny yn mwynhau mygyn ond Rhys. 'Wel tyrd Rhys, yn y bonc rwyt ti i fod yn gwneud rwbath.' A dyma Rhys yn ateb mewn syndod, 'Bobol annwyl, 'dach chi'n disgwl i mi weithio hefyd ar ôl cerddad i fyny?' Welwyd mo Rhys ar ôl y diwrnod hwnnw!

Un arall a ddaeth i'r Gwaith tua'r un adeg oedd Wil o Bwllheli, cymeriad garw iawn. Daeth atom ni yn ffitar's mêt yn ddiweddarach. Un yn byw dipyn yn flêr oedd Wil. Daeth â'i ginio i'r Gwaith un diwrnod – cwningen wedi'i berwi ac wedi'i lapio mewn papur newydd nes bod print y papur ar y gwningen. 'Handi iawn,' meddai Wil, 'cael *read* a bwyta hefo'i gilydd!' Hen foi clên iawn oedd Wil. Mi'i gwelais o wedyn ymhen blynyddoedd ym Mhwllheli, ar ei wyliau gyda'i wraig; roeddent yn byw i ffwrdd yn rhywle. Roedd yn amlwg wedi newid ei ffordd o fyw ac yn falch o weld rhywun hefyd. Cafodd aml i bryd bwyd yn ein tŷ ni yn Aelfryn pan oedd yn gweithio penwythnos ac nid oedd wedi anghofio hynny chwaith.

Rhyw dipyn o dynnu coes fyddai yn y cwt byta yn fy amser i. Chlywais i erioed am gyfarfodydd yn cael eu cynnal fel yn y caban yn y chwareli llechi. Un rheswm o bosib am hynny yw y byddai amryw o'r hogiau oedd yn malu yn bur flinedig yn cyrraedd y cwt byta amser cinio, wedi bod yn cystadlu â'i gilydd am y nifer mwyaf o lwythi.

Dod i'r Gwaith fel peintar ddaru Wil Hughes. Un o Edern oedd o a daeth i fyw i Drefor ar ôl priodi Betty, merch Robert Brew y soniais amdano'n gynharach. Fe ddaeth Wil a minnau'n ffrindiau mawr a chefais waith iddo yn Ferodo pan oeddwn yno. Roedd Wil wedi bod ar y môr am flynyddoedd a chlywais lawer stori celwydd golau ganddo. Pan oedd adref o'r môr unwaith, wedi bod i ffwrdd am amser maith, roedd yn methu'n lân â chysgu. Yr unig ffordd y gallodd gysgu oedd i'w fam fynd allan a thaflu dŵr yn erbyn ffenast ei lofft.

Cyn symud ymlaen, rhyw fymryn am y meinars a'u gorchwyl. Byddai'r rhain fel pryfed cop yn hongian ar raffau ar y graig. Dyma'r dynion oedd yn gyfrifol am ddigon o gerrig ar lawr y bonc ar gyfer y dynion a oedd yn eu trin. Gwaith anodd oedd un y meinar ar graig mor ofnadwy o galed, ac er mwyn cael cyflenwad o gerrig i gadw pawb yn hapus, byddai'n rhaid saethu tyllau mawr o bryd i'w gilydd. Yn wahanol i'r saethu rheolaidd deirgwaith y dydd, roedd saethu tyllau mawr yn golygu wythnosau o baratoi, ac Awdurdodau'r Gwaith fyddai'n penderfynu pa ran o'r graig i'w saethu. Yn gyntaf, gwneid tyllau yn y graig i roi bariau haearn crynion ynddynt i ddal platfform pren. Wedyn, gosodid stand trithroed ar y platfform ac ar hwnnw, y peiriant tyllu (yr injian fawr). Yna, byddai'r meinars yn tyllu rhyw hanner dwsin neu wyth o dyllau tua phymtheg troedfedd i mewn i'r graig, a rhyw ddwy droedfedd rhwng pob twll. Golygai hyn newid ebillion yn bur aml; ebillion wedi'u minio ar beiriant a'u caledu mewn olew oedd yn cael eu defnyddio cyn dyfodiad yr ebillion â diamwnd arnynt. Cymerai'r gorchwyl yma gryn amser i'w gwblhau, wythnosau os nad misoedd, a rhyw bedwar neu fwy o feinars wrthi ar y gwaith. Ar ôl eu tyllu i gyd, byddai'n rhaid sbringio'r tyllau er mwyn rhyddhau dipyn ar y graig. I wneud hyn, rhoddid dipyn bach o bowdwr du ymhob twll a'i stampio i lawr hefo llwch; wedyn ffiwsen ymhob twll a thanio'r rhain yn unigol. Wedyn, byddent yn llenwi pob twll eto hefo'r powdwr du a'i stampio hefo llwch. Ond y tro hwn, yn lle'r ffiwsen, byddent yn rhoi weiren drydan ymhob twll a'u cysylltu i gyd i'r taniwr, y gwthiwr batri neu'r batri plynjar, fel roedd yn cael ei alw. Gyda phopeth yn ei le, byddent yn gwthio'r plynjar i lawr a thanio'r tyllau i gyd hefo'i gilydd. Golygfa fythgofiadwy oedd gweld y graig yn chwydu allan; rhyw sŵn marw oedd o ac wedyn miloedd o dunelli o gerrig yn syrthio i lawr. Roedd rhai o'r cerrig yn anferth a llwch yn codi'n gymylau i'r awyr. Cafwyd llwyddiant mawr yn 1952, a bu sôn amdano fel un o'r rhai gorau erioed.

Y drefn yn nyddiau cynnar y Gwaith oedd gwneud twll i mewn i'r graig a'i lenwi hefo powdwr. Roeddent yn galw hyn yn 'torri heading'. Dyma'r dull a ddefnyddiwyd ar 17 Gorffennaf 1899 pan gafwyd un arall o'r canlyniadau y bu sôn amdano am flynyddoedd, a'r amcangyfrif oedd bod yn agos i ddau gan mil o dunelli o graig wedi cael eu chwydu'n ddarnau rhydd o'r mynydd y diwrnod hwnnw. Y tyllau mawr oedd dechreuad poncydd newydd fel rheol.

Fel y soniwyd, powdwr du oedd yn cael ei ddefnyddio at y gwaith yma a hynny oherwydd nad oedd yn malu'r graig. Galwai rhai ef yn bowdwr hollt gan y byddai'n cael ei ddefnyddio os oedd hollt yn y graig. Câi'r powdwr ei dywallt i'r hollt ac yna ei gau hefo mwd neu hen sachau. Wedyn, defnyddid yr hyn a elwid yn ddelltan bren neu ddelltan gopr i'w wasgu i lawr. Pren rhyw bedair troedfedd o hyd a dwy fodfedd o led a thua hanner modfedd o drwch oedd delltan.

Doedd dim gofyn y fath ragbaratoi i falu'r cerrig ar lawr y bonc gan y malwrs a phowdwr melyn (*gelignite*) fyddai'n cael ei ddefnyddio i wneud hynny. Torrid twll yn y garreg a rhoi pelen powdwr melyn ynddo, rhoddid capsen yn sownd yn y powdwr a ffiws wrth honno. Yna, o danio'r ffiws byddai'r gapsen yn tanio'r powdwr ac yn chwalu'r cerrig. Byddai'r criw o ddynion oedd yn arfer gwneud y gwaith yma yn cael eu galw yn dyllwrs a thaniwrs – y llythyren s yn ddefnyddiol i wneud y geiriau yma yn lluosog, yn y Gwaith fel mewn llawer maes arall.

Pan fyddai'r meinars yn mynd i ormod o oed i fynd ar y graig, câi ambell un waith yn y cwt powdwr i baratoi ffiwsus a chiaps ar gyfer y tyllwrs a'r taniwrs. Un o'r rhain oedd Huw Ifans o Lanaelhaearn neu Huw Meinar fel y'i gelwid. Ac ar ryw ddiwrnod glawog, galwodd Alfred Bott o Drefor am sgwrs. Roedd Alfred yn dweud enw'r sawl y byddai'n sgwrsio ag o bron bob yn ail

Cerdyn Nadolig oddi wrth y perchnogion at y gweithwyr yn 1948. Mae Brêc Newydd
tua hanner y ffordd i lawr yr inclên ar y chwith.

25

gair. Roedd Alfred wedi bod yn y Cownti Sgŵl ym Mhwllheli a meddai wrth Huw Ifans, 'Wyddoch chi be, Huw Ifans, roedd Mam, wchi Huw Ifans, wedi meddwl fy ngyrru i i'r Weinidogaeth wchi, Huw Ifans, i fod yn bregethwr wchi, Huw Ifans'. Roedd gan Huw Ifans dipyn o atal dweud a'i atebiad swta oedd 'D..d..d..dwi'n s..s..s..siŵr mai un d..d..d..diflas ar y d..d..d..diawl fuasat ti'. Trodd Alfred ar ei sawdl, yn amlwg wedi pwdu gan yr ymateb.

Mae stori arall amdano sy'n dangos ei natur. Roedd yn byw yn yr un tŷ â John Albert, ei frawd yng nghyfraith, a byth yn ei alw'n ddim ond John Albert. Gorfu i'r ddau fynd ar ryw berwyl i symud piano mewn parlwr, a thoc dyma gais: 'John Albert, fasach chi ddim yn gwneud cymwynas fach â mi?' 'Be?' gofynnodd y brawd yng nghyfraith. 'Symud y piano 'ma, John Albert, mae hi ar 'y nhroed i.'

4   Y Ponciau Isaf

Roedd y grisiau cerrig a oedd yn arwain o bonc i bonc yn gallu bod yn llithrig iawn, ond dyma fentro'r rhai oedd yn mynd i lawr o Bonc Newydd. O lwyddo i ddod i'w gwaelod yn ddianaf dyma gyrraedd y bedwaredd bonc neu Bonc Bach fel roedd hi'n cael ei galw. Byddai amryw o setswyr yn y bonc yma ac fel yn y ponciau eraill roedd cytiau ar eu cyfer, allan o'r bonc, yn nes at y tipiau. Roedd twll bach yn y wal gerrig ym mhob cwt ar gyfer cadw rhyw fanion bethau, a chlywais ddweud y byddai ambell un yn rhoi cannwyll yn olau ynddo i gael dechrau ychydig yn gynt neu i ddal ati yn hwyrach yn ystod y gaeaf.

Yn amlach na pheidio, ond nid bob amser, y dull o wneud sets oedd dau yn cydweithio fel partneriaid. Weithiau ceid dau frawd neu dad a mab, a thro arall dau gyfaill. Byddai un o'r partneriaid yn gweithio yn y bonc yn torri cerrig ar gyfer y llall, a fyddai yn y cwt. Torri mowldiau oedd yr enw ar hyn, sef torri darnau o gerrig fel y gallai'r setsiwr yn y cwt eu torri'n llai a chael amryw o sets o un fowldan. Byddai'r partneriaid yn newid lle, wrth gwrs, gydag ambell setsiwr yn gweithio ar ei ben ei hun.·

Bocs twls y setsiwr. Ar y chwith, mae sciablar bach yn y gongl chwith uchaf, gyda bwl wej odano a marciwr (wedi'i gael o fatri wedi'i losgi) o dan hwnnw. Mae'r gêj fesur yn y canol, ac ar y dde iddi mae plygia a dail, a tali ydi'r sgwaryn bach yn y canol. Ar y dde, mae sciablar ar y gwaelod, darn o garreg uwch ei ben, a'r glem fawr yn y gongl uchaf.

Eisteddai'r setsiwr gan amlaf ar flocyn o bren yn y cwt gan drin y setsan ar flocyn bach arall, eto o bren. Patro oedd y term oedd yn cael ei ddefnyddio am y dull hwn o weithio, ac wrth eu bod yn eistedd, patro ar eu tinau oedd y dywediad. Enw'r morthwyl a ddefnyddid oedd sciablar bach, oedd yn pwyso tua phedwar pwys. Morthwyl â phant yng nghanol dwy ochor y lwmp oedd hwn ac felly roedd ymyl fain arno i siapio'r cerrig. Byddai eraill, wedyn, yn patro ar eu traed, gan osod y setsan yn erbyn eu hesgid. Roeddent yn gwisgo'r glem fawr i wneud hyn, sef clem gyffredin â darn o ddur o waith y gofaint wedi'i asio iddi i fynd ar ochr yr esgid i arbed y lledr. Roedd coes eu sciablar yn hirach hefyd. Ond doedd dim llawer yn patro ar draed gan ei bod yn fwy anodd gwneud hynny.

Hen glem ar esgid newydd. Dyma'r dull o osod clem fawr.

Chwarel sets oedd y Gwaith er y dechrau, wrth gwrs, a 'rholan' oedd yr enw a roddywd ar setsan yng nghyfnod cyntaf eu cynhyrchu. Rhyw setsan go hir oedd hon. Dyma fesuriadau rhai o'r sets yn y cyfnod diweddarach: ciwb 4"x 4"x 4"; spesials 7"x 5"x 2" (setsan digon anodd i'w gwneud); 7"x 4" x 6"; 7" x 4" x 3 ½". Roedd yna sets bychan hefyd, maint 3"x 3" x 3", yn cael eu galw yn niggers. Gan amlaf roedd y rhain yn cael eu gwneud ar yr iard ar lan y môr, heb fod ymhell o'r clogwyn, allan o sets oedd wedi'u gwrthod.

Byddai cystadlaethau yn cael eu cynnal ambell dro yn yr haf ar gaeau Bryn Gwenith; naill ai tyllu dan law neu ddau yn tyllu dwbwl hand. Tyllu dan law oedd gwneud twll mewn carreg ar gyfer ei hollti, gyda'r morthwyl mewn un llaw a'r ebill yn y llall. Gyda dau yn tyllu dwbwl hand, byddai dau yn gwneud y gwaith; y naill gyda'r morthwyl a'r llall gyda'r ebill. Roedd yna hefyd wrth gwrs gystadleuaeth gwneud setsan, ac un flwyddyn, roedd gwraig y dyn a enillodd y gystadleuaeth honno mor eithriadol falch o'i gamp fel y treuliodd gyfran dda o'r diwrnod canlynol ar ben y drws yn canmol ei gŵr gan ddweud mai ganddo fo roedd y 'rholan' orau! Cam-ddweud hwyrach? Ond dyna fo,– mae pawb yn hoff o ennill ac yn hoff o'r sylw a ddaw o wneud hynny. Ar Ben Hendra y byddai Geraint Jones ar fore Llun os oedd y Band wedi ennill cystadleuaeth ar y dydd Sadwrn cynt. Os byddai'r Band wedi colli (sef cael cam!) sefyll ar bont Tyn Gors o olwg pawb y byddai! Ond, chwarae teg, bu ar Ben Hendra yn amal iawn oherwydd llwyddiant y Band.

Gweithiai'r setsiwrs ar ryw fath o fonws. Byddai'r pwyswr sets yn dod o amgylch hefo clorian ar y rêl, un debyg iawn i un a ddefnyddid mewn warws flawd ond mai wagen yn lle platfform oedd ar hon. Gwelid felly faint oedd pwysau'r sets ac os nad oeddent o'r mesur cywir caent eu taflu o'r neilltu. Roedd gan y setsiwrs fesurydd ar gyfer y gwahanol fesurau o sets ac roedd pwyso sets yn cael ei chyfrif yn swydd reit bwysig, gan y pwyswr, beth bynnag am y setswyr roedd eu cynnyrch yn cael ei droi heibio. Ond mae'n siŵr fod amryw o'r sets yn mynd drwodd yr ail waith trwy ddirgel ffyrdd.

Os nad oedd rhywun yn setsiwr go lew, dipyn o goblar fyddai'r dywediad amdano. Un felly oedd William Thomas, neu 'Rhen Bedwar fel y'i gelwid, am ei fod yn byw yn rhif 4 Lime Street. Cymeriad difyr iawn oedd William ac yr wyf yn meddwl mai o ochr Conwy yr oedd ei wraig yn dod a siaradai hi gydag acen Saesneg. Daeth 'Rhen Bedwar adref un nos Wener a'r pacad pâu braidd yn ysgafn, a dyma a ddywedodd wrth ei wraig:

Mrs Thomas, me very sorry,
Me did not get pres
For the cerrig torri.

Wrth gwrs, er fod 'Rhen Bedwar yn fardd, fel y gwelwch, roedd yna feirdd fymryn yn well yn byw yn Nhrefor, a rhai yn dda iawn. Un o'r rheini oedd Thomas Bowen Jones, Gwydir Bach, y meistr ei hun, a enillodd ar yr englyn i'r Map yn Eisteddfod Genedlaethol y Barri yn 1968. Mae'n chwith garw ar ôl Twm am sgwrs. Cofiaf ddal adar hefo fo yn Gwydir Bach ar lawer adeg o eira neu rew. Roedd o'n gymeriad deallus iawn, a gallai fod wedi mynd ymhell iawn petai'n dymuno ond roedd yn gwbl hapus yn ei filltir sgwâr, yn gwneud pethau fel cyfansoddi cerdd i Gôr Wil Parsal, cerdd oedd yn llawn i'r ymylon o berlau fel

Daeth 'one, two' y cychwyn, tarawyd y gân,
Y côr a'r cyfeilydd a Wil ar wahân.

Gwaetha'r modd, ni chafodd y gerdd gymaint o olau dydd â'i haeddiant am fod Twm wedi ei dangos hi i Wil cyn ei hanfon i'r Herald. Mi gymerodd Wil ato braidd o'i gweld, a dewisodd Twm heddwch yn hytrach nag anfarwoldeb.

Ond yn ôl at 'Rhen Bedwar. Arferai gadw pedwar llinos mewn dau gawell yn y gegin ac oherwydd fod gennyf innau ryw ddiddordeb mewn adar, cawn alwad i'w gweld os byddai wedi dal llinos newydd. Roedd llawer yn cadw adar yn Nhrefor bryd hynny, a dal nicos yn ei anterth yn enwedig ar ddiwrnod cyntaf y tymor, sef rhwng y moddion ar ddydd Llun Diolchgarwch. Erbyn heddiw, mae dal nicos yn drosedd fawr ond roeddent yn cael lle da iawn. Ar bnawn Sadwrn neu Sul braf byddai aml i gawell ar wal gefn y tŷ a'r hen nicos yn canu'n braf. Roedd pencampwr ar gadw caneris yn byw yn Nhrefor hefyd, sef William John Hughes, Glanrafon. Bu ganddo frân big-goch a enillodd mewn sioe fawr yng Nghaeredin. Roedd cwt adar W. J. yn sgleinio mwy na llawer i barlwr!

Yn ôl eto fyth at 'Rhen Bedwar. Gwahoddodd Mrs Thomas fi i'r tŷ un noson a dyna lle'r oedd William yn eistedd ar ryw stôl fach ym mhen pellaf y lobi a'r rhan fwyaf o ddodrefn y gegin o'i gwmpas. Rhoddodd ei fys ar ei geg yn arwydd i mi fod yn ddistaw gan amneidio arnaf i fynd ato. Pwyntiodd ei fys er mwyn i mi edrych yn slei bach i'r gegin a beth oedd ar ganol y llawr ond dysgl bridd fawr isel a'i llond o ddŵr. Roedd pren yn arwain i fyny dros ymyl y ddysgl i'w chanol a darn o gaws ar ei flaen. Roedd llygoden fach wedi hanner boddi yn y ddysgl. Dal llygod oedd William ac mae'n rhaid fod teulu go niferus ohonynt yn gwledda ar yr hadau adar a oedd yma ac acw hyd y tŷ. Mae'n siŵr fod William wedi cael ei ysbrydoli i ddyfeisio'r planc ar gyfer y llygod wrth glywed y band yn chwarae *Pirates of Penzance* a *Walking the Plank*!

Ond yn ôl at y sets. Daeth Almaenwr o beiriannydd o'r enw Mr Sachs â dull newydd o dorri cerrig i'r Gwaith. Fel y soniais yn gynharach, defnyddio plygiau a dail a wnâi'r gweithwyr. Erbyn hyn, defnyddid darn bach o ddur, y bwl wej, i wneud hynny. Mesurai $1\frac{1}{2}$" o hyd a $\frac{3}{4}$" o drwch yn y top gan fynd i lawr i ddim yn y gwaelod. Byddai'r garreg yn cael ei marcio a pheiriant gydag ebill siâp bwl wej yn cael ei ddefnyddio i wneud twll yn y garreg. Yna, gosodid y bwl wej yn y twll hwn a'i guro â morthwyl ac fe holltai'r garreg yn braf. Roedd hon yn ffordd hwylus o dorri mowldiau i'r setswyr ac yn ddiweddarach i'r torwyr cerrig ar gyfer gwneud cerrig cwrlo.

Pan oedd y fasnach sets yn ei hanterth byddai gofaint ymhob ponc a 'twl-boi' gan bob un, sef hogyn ifanc i daro iddo hefo'r ordd. Byddai'r gof yn taro'r morthwyl neu gŷn oedd yn cael ei hogi yn ysgafn hefo morthwyl bach a'r twl-boi yn taro'n union lle'r oedd y gof wedi dangos iddo hefo'r morthwyl mawr. Roedd yna forthwylion amrywiol ar gyfer mathau arbennig o waith ac angen eu caledu neu eu tempro'n rheolaidd. Roedd rhai o'r gofaint yn rhagori ar y lleill yn y gwaith yma a'r offer yn cadw ei awch yn hwy. Os nad oedd awch ar yr offer, arferai'r gweithwyr ddweud 'mae hwn fel fy nhrwyn i'.

Un o'r gofaint yn Bonc Drydydd oedd Owen Rowlands. Un pur hoff o'i beint oedd 'rhen Owen ac yn ymwelydd pur gyson â'r Ring (neu'r Rivals) yn Llanaelhaearn (nid oedd tafarn yn Nhrefor bryd hynny). Roedd hefyd yn bur gyson yn y gwasanaethau ym Maesyneuadd, capel yr Annibynwyr, ar y Sul. Gwrandawr oedd o yn y Capel, nid aelod. Un noson braf o haf a'r hen Owen wedi bod am dipyn o lith ac yn cerdded i lawr am adref, pwy oedd yn pwyso ar giât ei dŷ ond y Parchedig W. D. Evans, Gweinidog Maesyneuadd. Roedd Mr Evans yn un reit bryfoclyd ac yn hoffi dipyn o hwyl. Dyma Owen Rowlands ac yntau'n cyfarch ei gilydd yn ddigon manesol. Roedd gan Owen botel beint o gwrw yn ei boced a phan oedd yn gadael, dyma Mr Evans yn dweud wrtho mewn syndod, 'Wyddwn i ddim eich bod chi yn ymgymeryd â'r ddiod gadarn yma'. A'r hen Owen, wedi'i ddal, yn ateb 'Anamal iawn, Mr Evans bach, anamal iawn. O, wela i,' meddai wedyn, 'wedi gweld y botal ydach chi. Wel, mi ddeudai hanes y botal wrthoch chi. 'Y nghymydog i yn Stryd Rafon 'cw, Jôs Jôs, yn yr ardd gynna ac yn cwyno fod gynno fo sychad difrifol; wedi bod yn boeth iawn yn y Gwaith 'na heddiw, ylwch. A dyma fi'n cynnig mynd i fyny i nôl potal beint rhyngthon ni ylwch.' 'Wel, Owen Rowlands,' meddai Mr Evans, 'pam na thaflwch chi eich hannar chi?' 'Wel, Mr Evans bach, fedra i ddim, yr hannar isa bia fi, ylwch. Nos dawch!'

Byw hefo Annie Rowlands ei chwaer oedd Owen. Hen ferch oedd hi, un fechan o gorffolaeth a rhyw ll'gada bach ganddi. Fel roedd hi mewn tai erstalwm, byddai tân o dan y popty ar gyfer coginio. Un diwrnod, roedd Annie wedi tanio yn barod i hwylio swper gwaith i Owen. Caeodd ddrws y popty ac allan â hi ar ryw fusnes neu'i gilydd neu sgwrs hefo hwn a'r llall, mwy na thebyg. Pan ddaeth yn ei hôl adref, deuai rhyw ogla rhyfedd anarferol o gyfeiriad y popty. Dyma agor y drws a beth oedd yno, yn gelain, ac wedi dechrau rhostio, ond y gath. Ac meddai Annie, yn ei braw, 'pam ddiawl na fasat ti wedi gweiddi, Pws bach?' Y gath gynta i gael ei chrimetio yn Nhrefor, mae'n siŵr.

Pan aeth yr hen Owen yn sâl a gorfod aros gartref am bwl, roedd yn rhaid cael gof yn ei le. Dyn bychan iawn oedd Owen a phwy ddaeth yn ei le ond fforman y gofaint, sef John Jones o Glynnog, un o'r gofaint gorau a welsoch erioed, a oedd dros ddwy lath o daldra. Gan fod engan Owen Rowlands mor isel, beth wnaeth John Jones ond gwneud twll i lawr wrth ei hymyl fel ei bod yn dipyn mwy cyffyrddus iddo weithio arni. Rhyw wythnos fu Owen adref ac ymhen rhyw bythefnos roedd John Jones ar ei ffordd i fyny i'r Gwaith ac yn pasio efail Owen Rowlands, a dyma fo'n clywed y floedd fwyaf ofnadwy, 'Tyrd yma i gau ar dy ôl, y twrch daear diawl!' Doedd 'rhen Owen ym malio dim am neb ac roedd yn un chwim iawn ei feddwl.

Byddai llygod bach yn rhemp yn y gefeiliau gyda rhai ohonynt yn bur ddof ac yn disgwyl ambell friwsionyn. Roedd chwain hefyd yn ffynnu ynddynt gan y byddai rhai'n dod â'u dillad yno i sychu, a chynhesrwydd y lle'n fridfa ardderchog i'r chwain. Roedd yn ddigon tebyg i siop anifeiliaid anwes yno!

Yn ddiweddarach, daeth peiriant i Bonc Drydydd i hogi'r ebillion, rhai 4 pwynt ac eraill 6 pwynt. Er mwyn defnyddio'r peiriant rhaid oedd cael ffwrnais fawr a oedd yn gweithio hefo olew i gynhyrchu gwres uchel i dwymo'r ebillion i'r tymheredd priodol; roedd hyn cyn bod sôn am y *diamond point*. Golygai hynny ei bod yn ddifrifol o boeth yn yr efail yma a'r ddau oedd yn gweithio yno, R. O. Williams ac R. D. Thomas yn chwys domen yn wastadol, yn enwedig R. O. Fo oedd y gof ac yn tempro'r ebillion mewn olew. Roedd y ddau yn aelodau o'r band; R.O. yn brif gornedydd ac yn chwaraewr ardderchog a hefyd yn godwr canu yn Gosen, capel y Methodistiaid. Buont yn aelodau o'r band am gyfnod byr ar ôl y rhyfel hefyd.

O Bonc Drydydd down i lawr yr inclên neu'r grisiau i'r ail bonc neu Bonc Ganol, yr enw wedi dod yn ddiamau yng nghyfnod cynnar y Gwaith pan nad oedd ond tair ponc ynddo. Bu ysgol sets yn cael ei chynnal yn y fan hyn ar un adeg, gyda rhai o'r oedolion oedd yn tynnu at oed ymddeol neu wedi'i basio hwyrach yn dysgu hogiau ifanc o'r ysgol. Doedd dim llawer o ddim yn digwydd yn y bonc yma, ambell i dorrwr yn y cytiau, a dyna'r cwbl.

Wrth i'r gweithwyr drin y cerrig byddent yn anafu eu dwylo o bryd i'w gilydd, a hefyd byddai eu dwylo'n torri. Roedd hynny'n beth digon poenus a brwnt ac roedd setsiwr yn Nhrefor, John Cooke, wedi dyfeisio eli ar gyfer y briwiau hyn. Os byddai rhywun yn brifo'i fys, wel eli John Cooke amdani. O ran lliw, roedd yr eli'n debyg i India Roc, yn rhyw ddwy neu dair modfedd o hyd ac yn galed. Gwerthai John Cooke yr eli fesul rolyn, neu *stick* a rhoi iddo ei enw swyddogol, am ryw geiniog neu ddwy. I roi'r eli ar y briw, câi ei ddoddi yng ngwres cannwyll cyn ei roi ar gadach ac yna ei lapio am y dolur. Wedyn, toddid mymryn o'r eli i'w roi ar y cadach i'w gadw yn ei le, gan y byddai'n caledu ac yn glynu ar ôl iddo sychu. Byddai hyn yn ystwytho'r briwiau a chedwid eli John Cooke yn gyson wrth y ganhwyllbren erbyn y tro wedyn. Roedd yr eli hwn yn unigryw i Drefor ond byddai rhywfaint yn cael ei anfon i Benmaenmawr ar gyfer y chwarelwyr yno.

Un setsiwr a ddefnyddiai eli John Cooke yn gyson oedd Sam Thomas, oedd yn byw yn Sea View, ac un noson wrth fynd i'w wely, dyma ddoddi peth o'r eli i'w roi ar ei fys. Diffoddodd y gannwyll a throi ar ei ochr i gysgu. Yn ystod y nos, dyma natur yn galw, ac yn y cyfnod hwnnw, roedd pob llofft yn *en-suite* – o dan y gwely, beth bynnag. Hwyliodd Sam i godi ond methai'n lân â chael ei hun o'r gwely. Rhoddodd dro arni wedyn gan drio peidio â styrbio Mrs Thomas. Roedd Sam mewn dipyn o benbleth erbyn hyn heb sôn am fod bron â byrstio. Dyma fwy o bwys arni y tro hwn nes trodd Mrs Thomas a gweiddi ar Sam yn ei braw. A beth oedd achos yr holl styrbans? Peth o eli John Cooke wedi mynd ar drôns Sam ac ar goban Magi, chwedl yntau. Yn ngwres y noson, roedd yr eli wedi toddi gan glymu'r ddau yn ei gilydd. Ddaru Sam ddim datgelu pwy wnaeth y *full monty* y noson honno er mwyn dod yn rhydd ond byddai'n rowlio chwerthin bob tro wrth adrodd y stori! Beth bynnag arall, mae'n dangos y nerth oedd yn eli John Cooke.

Clywais fy Nhad yn sôn llawer am gryfder corfforol John Cooke, a oedd yn ddyn reit fawr o gorff. Daeth tystiolaeth o'i gryfder ddydd Iau, yr wythfed ar hugain o Fai 1914. Dyma'r dydd y lladdwyd fy nhaid, tad fy nhad, yn y Gwaith. Meinar oedd o wrth ei alwedigaeth a'r pnawn hwnnw, yn ôl ei arfer, roedd wedi powdro'r tyllau ar gyfer eu tanio yn ddiweddarach. Tyllau hollt yn y graig oedd y rhain i gael rhyw ychydig o gerrig i lawr. Ar ôl y tanio, nid oedd yn siŵr a oedd un twll wedi tanio ai peidio, ac nid oedd neb yn cael mynd i'r bonc am sbel wedyn wrth gwrs. Wedi disgwyl am ychydig dyma ddau yn mentro draw am y bonc, 'Nhaid yn cerdded ar y blaen a'i fab, Yncl Dic, a oedd hefyd yn feinar, ychydig lathenni y tu ôl iddo. Pan gyrhaeddodd y ddau y fan lle'r oedd y powdwr heb danio dyma'r graig yn rhoi a darn mawr yn syrthio a dal fy Nhaid oddi tani.

O glywed sŵn y graig yn rhoi, rhedodd dynion am y bonc a John Cooke yn eu plith. Gafaelodd o mewn bar rêl mawr a'i roi o dan y garreg; cododd ddigon arni i'r dynion eraill gael fy nhaid yn rhydd, ond roedd wedi'i wasgu a'i ladd yn y fan o dan bwysau'r garreg. Roedd pawb wedi synnu at gryfder John Cooke a dywedai ef ei hun iddo gael nerth annaturiol na allai ei egluro o rywle y diwrnod trist hwnnw. Roedd gan fy nhad barch mawr at John

Cooke, yn enwedig ar ôl y diwrnod hwnnw.

Yn rhyfedd iawn, er i'r garreg fawr wasgu fy nhaid i farwolaeth, roedd ei oriawr yn ei boced yn dal i weithio. Beth amser wedyn, ysgrifennodd Yncl John, mab arall iddo (sef John Williams, Twr a oedd mor ofalus o ben William Japheth) draethawd ar gyfer cyfarfod y Gymdeithas ym Maesyneuadd o dan y teitl 'Oriawr fy Nhad'.

Erbyn hyn dyma ni yn Bonc Isa, ac fel yr eglurais o'r blaen yma'r oedd y cryshar. Yma hefyd oedd y cwt pwyso lle câi'r wagenni eu pwyso ar eu ffordd i'r cryshar ac y cesglid y talis oddi ar bob wagen i gael gwybod pwy oedd perchennog y llwyth. Loco bach o wneuthuriad Hunslet oedd yn nôl a danfon y wagenni a dyn yn pwyso a chadw'r cyfrif yn y cwt. Un o'r rhain oedd Ernie Hughes, oedd yn frodor o Gaernarfon ac yn lojo hefo Katie Post, un o ddwy lythyr-gludydd Trefor. Bu Daniel Williams, perchen y tŷ ac oedd hefyd yn byw ynddo, farw yn y Gwaith yn Nhachwedd 1948, er nad drwy ddamwain. Creadur dipyn yn ferchetaidd ei ffordd oedd Ernie, yn ganwr reit dda ac yn un digon clên ac yn hoff iawn o dorheulo yn yr haf. Un diwrnod, aeth Hugh Nefyn, oedd yn saer coed yn y Gwaith, i'r cwt pwyso a dyna lle'r oedd Ernie yn rhyw swnian crio. 'Be sy?' gofynnodd Hugh. ''Rhen Geiri Llanhuar 'na wedi deud wrtha i ma' blwmar y dylwn i 'i wisgo'. Saer oedd Ceiri hefyd ac mae'n debyg fod Ernie ac yntau wedi anghydweld am rywbeth a Ceiri fel pob amser wedi dweud ei feddwl yn onest.

Yn y bonc yma byddai'r torwyr, neu'r stôn cytars, yn trin y cerrig a hefyd yn gwneud cyrbau ar gyfer ymylu lonydd cyn dyfodiad y cyrbau concrit. I'r fan hyn y deuai bechgyn yn syth o'r ysgol i fwrw'u prentisiaeth a byddai torrwr profiadol yn edrych ar eu holau ac yn dysgu rhyw dri neu bedwar ohonynt. Un o'r hyfforddwyr oedd Michael (neu Mick) Cullen, y daeth rhai o'i feibion yn dorwyr medrus eithriadol. Mwy am hyn yn nes ymlaen.

Cefais dipyn o fraw yn y bonc yma unwaith. Y flwyddyn oedd 1943 a minnau, yn hogyn pedair ar ddeg oed, newydd ddechrau gweithio ers rhyw dair wythnos a hynny gyda Leslie Owen, brawd fy ffrind gorau, Elwyn. Trin peipiau dŵr mewn math o lobi eithaf tywyll rhwng yr Efail a'r Cwt Byta yr oeddem ar y pryd, Leslie yn gwneud y gwaith a minnau'n dal y gannwyll ac yn hollol ddi-glem am yr amgylchiadau. Y gof yn yr efail oedd John Owen, oedd yn ddyn clên iawn ond roeddwn wedi sylwi ei fod yn cario gefail yn ei law bob amser bron. Clywn Leslie a Wil Edwards, twl-boi John Owen, y ddau ychydig yn hŷn na fi, yn sôn ymysg ei gilydd fod John Owen yn ddyn eithaf peryglus pan oedd yr efail yn ei law a doedd wybod beth a wnâi. Clustfeinio ar y sgyrsiau yma yr oeddwn i a ddim yn deall o gwbl, ond o edrych yn ôl mae'n amlwg mai dyma'r pethau yr oeddwn i fod i'w clywed. Un diwrnod, roeddwn yn y lobi fach dywyll yma ar fy mhen fy hun yn sefyll ar ryw focs twls ar ei ben i lawr ac yn dal peipan ddŵr yn fy llaw, a'i phen arall ynghlwm wrth y tap. Roedd Leslie wedi picio allan i wneud yn siŵr fod y peipiau oedd ar yr ochor allan yn iawn. A phwy welais i yn dod ataf yn y tywyllwch â'r efail yn ei law ond John Owen. Dim ond un peth ddaeth i fy meddwl, sef bod y dyn yma a'r efail am fy ngwneud yn boi soprano. Yn fy nychryn, agorais y tap dŵr ac anelu'r beipan at John Owen. Dychrynodd yntau gymaint â minnau ac wrth drio osgoi'r dŵr mi faglodd ar ei hyd ar lawr a finnau'n dal i'w chwistrellu. Yn ofer y ceisiodd fy narbwyllo mai hwyl diniwed oedd y cwbwl. Rhuthrodd Leslie o rywle i gau'r tap ond roedd John Owen yn socian erbyn hynny. Wrth gwrs, roedd y cwbwl wedi'i gynllunio gan y tri ymlaen llaw a minnau mor ddiniwed. Byddwn yn gweld John Owen fwy nag unwaith ymhen blynyddoedd pan oedd yn helpu hefo'r petrol yn Garej Pontllyfni a chawsom lawer o hwyl yn sôn am y stori.

Ar ddiwedd yr 1950au i ddechrau'r 1960au fe newidiwyd y dull o weithio. Adeiladwyd cryshar mawr yn Bonc Newydd a chafwyd JCB anferth ar gyfer codi'r cerrig i'r dympars eu cario i'r bwystfil yma. Roedd hyn yn gwneud i ffwrdd â'r rhan fwyaf o'r malwrs ac erbyn hyn dim ond y tyllwrs oedd eu hangen i dyllu a saethu'r cerrig oedd yn rhy fawr i'w codi. Torrwyd hafnau yn y graig a llithrai'r cerrig i lawr y rhain drwy wahanol adrannau i lawr i Bonc Isa. Caent eu cludo o'r fan honno i'r hen gryshar i'w gorffen ar gyfer y fasnach macadam, oedd yn dod yn bur brysur.

Rydym rŵan wedi cyrraedd yr 0 bonc neu Bonc Dwll fel y'i gelwid, sef y bonc gyntaf wrth i chi gyrraedd y gwaith i fyny'r inclên. Tua 1905 yr agorwyd y bonc yma ac mae ei ffurf fel twll i lawr i raddau. Daeth y bonc yma yn eithriadol o brysur ar ôl yr ail Ryfel Byd pan ddechreuwyd o ddifrif ar y fasnach cerrig beddi neu'r moniwmentals fel y'i gelwid. Ar y bonc hon oedd yr Hen Bŵar Hyws, adeilad cerrig ychydig yn is na'r Felin Falu, ac yn hwnnw y dechreuodd y gwaith cerrig beddi. Mae'n siŵr mai yma y bu peiriant stêm ar un adeg, ac erbyn fy nghyfnod i yno roedd y peiriannau oedd yn rheoli trydan i'r Gwaith.

Roedd llif i lifio'r cerrig mawr yn yr Hen Bŵar Hyws, a'r sŵn mwyaf dychrynllyd ganddi. Hon a ddefnyddid cyn i'r llif weiran ddod i Bonc Newydd. Roedd ganddi ffrâm fawr haearn a darnau hir o haearn tua deuddeg troedfedd o hyd, wyth modfedd o led, a rhyw chwarter modfedd o drwch wedi eu bachu ym mhob pen iddi. Rhain oedd y llafnau, a defnyddid rhyw dri neu bedwar ohonynt ar yr un pryd. I wneud y llifio'n fwy swnllyd fyth, byddai'r llifwyr yn cymysgu pelenni traul bychan, fel bôlberings, mewn pridd neu lwch. Shots oedd enw'r llifwyr ar y pelenni hyn a châi'r gymysgfa ei thywallt ar ben y llifiau hefo ladal fawr. Byddai sŵn y shots yn crafu ar y garreg a gweithio eu ffordd drwyddi yn ara deg yn annioddefol bron. Roedd hyn wrth gwrs ymhell cyn oes y taclau gwarchod clustiau.

Gweithio ar lif debyg i hon yn Bonc Dwll oedd Elfed, neu Richard Elved Williams, 6 Lime Street, ddydd Gwener yr wythfed ar hugain o Ionawr 1948 pan y'i tynnwyd i'r siafft a'i ladd. 54 oed oedd o, yn briod ac yn dad i ddwy ferch. Un oedd Glenda Jones, Pwllheli, a gyhoeddodd nofelau i blant, megis *Crincod* a *Dirgelwch Plas y Tylluanod*.

Roedd yr Hen Bŵar Hyws yn Bonc Dwll wedi cael ei droi yn gwt bwyta ac adeilad newydd wedi cael ei godi ar gyfer y peiriannau, megis y peiriant sgleinio, a pheiriannau i dyllu cerrig i'w gosod ar y beddi i ddal blodau. Hen

Bonc Dwll, gydag adeilad y peiriannau yn ei chanol. Gwelir hefyd ar waelod y llun gerrig yn barod i'w trin a'u gwneud yn gerrig beddi.

beiriannau oedd rhain. Adeiladwyd sied sinc wrth ochr y Pŵar Hyws a gweithiai rhyw ddau dorrwr ynddo. Griffith Charles Davies, Gorffwysfa ac Owie Jones, Bryn Awel, a weithiai yno ar y pryd.

Carreg yn cael ei thorri gan lif hen drefn. Doedd y sŵn ddim yn rhywbeth ar gyfer clustiau dynol.

Pan oedd y fasnach gerrig beddi yn ei hanterth, roedd yn un anferth a daethpwyd â pheiriannau newydd i mewn. Daeth dau neu dri o'r rhai diweddaraf o America, a'r rheini'n cyflymu'r gwaith ac adeiladwyd gweithdai pwrpasol ar eu cyfer. Roedd tair shifft yn gweithio mewn rhannau o'r gwaith, sy'n dangos maint y cynnydd. Roedd llifiau gwahanol yn llifio'r cerrig i bob mesur gyda pheiriannau sgleinio'r cerrig i roi gorffeniad arnynt, ac yr oeddent yn edrych yn dda iawn wedi'u darfod. Roedd angen llawer iawn o ddŵr ar gyfer y gwaith yma. Roedd nifer dda o dorwyr yn llwyddo i drin carreg mor galed ei hansawdd yn eithriadol o

Johnnie Michael Cullen a'r garreg goffa a gerfiodd yn 1952 i Gatrawd Gymreig Rhif 53 yn Hertogenbosch.

37

lwyddiannus, a hynny am eu bod yn arbenigwyr ar y gwaith manwl a chywrain hwn.

Nid cerrig beddi yn unig chwaith. Gwnaed llawer cofgolofn yma. Mae'n debyg mai'r un enwocaf yw Carreg Goffa Llywelyn ab Gruffudd, neu Llywelyn Ein Llyw Olaf, yng Nghilmeri. Ymhlith y rhai eraill mae Carreg Goffa I. D. Hooson yn Llangollen, Carreg Hen Ŵr Pencader ym Mhencader ei hun; HMS Thetis yng Nghaergybi; Daniel Owen yn yr Wyddgrug, a Charreg Goffa Catrawd Gymreig Rhif 53 yn Hertogenbosch yn Yr Iseldiroedd.

Y cerflunydd enwog R. L. Gapper fu'n torri'r enwau ar y llechi wrth droed cofgolofn y Thetis, a Michael Cullen yn gweithio ar y gofgolofn ei hun. Ei fab, Johnnie Cullen, oedd yn fwyaf cyfrifol am y gofeb gywrain i'r Gatrawd Gymreig Rhif 53. Roedd R. L. Gapper yn frodor o'r ardal wrth gwrs, ei dad wedi bod yn rheolwr yn y Gwaith, a'i frawd hefyd ar ei ôl. John Gapper oedd enw ei frawd, ond yn unol â'r arferiad fu'r ardal ddim chwinciad yn ei naturioli i Jac Epar.

Adeiladwyd ystafell haearn, sgwâr, yn arbennig ar gyfer rhoi enwau a phatrymau ar y cerrig, a dau o'r ffitars yn yr adeilad hwnnw oedd William Thomas, a Tom Japheth yn brentis iddo. Pan oeddynt yn gosod peipen â falf yn agor a chau arni ar gyfer y gwaith digwyddodd rhyw anffawd fach. Roedd y lifar i weithio'r falf i mewn yn yr adeilad ond roedd y falf ei hun y tu allan. Roedd Tom y tu allan a William y tu mewn yn gosod y lifar a marcio lle'r oedd yn agored ac wedi cau. Wedi rhoi tro ar y lifar i gau'r falf, dyma Wil yn gweiddi o'r tu mewn, 'ydi'r falf wedi cau rŵan?' Dyma Tom yn ateb o'r tu allan, 'ydi, myn diawl, a 'mys i i mewn yn'i!' Cododd Tom ei fys i'r ffenast bach i'w ddangos i Wil. Y munud y gwelodd Wil y bys, syrthiodd mewn llewyg. Yn rhyfedd iawn, nid oedd Tom fawr gwaeth er iddo golli pen ei fys. Chafodd o fawr o boen, am fod y toriad fel toriad gilotîn, o bosib.

Ychydig yn ddiweddarach aeth Ken Strello, un o'r ffitars, at ewyrth i Tom a gofyn a fyddai'n hoffi gweld bys Tom. 'Buaswn wir,' meddai hwnnw'n dosturiol, a dyma Ken yn agor bocs matsys ac ynddo roedd darn o fys ar wadin ac ychydig o waed ar y wadin. Dyma'r ewyrth yn edrych yn fanwl ar y bys ac yn plygu ei ben yn nes ato, yn llawn cydymdeimlad. Wrth iddo edrych arno fel hyn, cododd y bys a chosi dipyn ar ei drwyn. Roedd Ken wedi gwneud twll yng ngwaelod y bocs a rhoi'i fys ei hun i mewn ynddo. Aeth yr ewyrth yn wallgo, ond pan glywodd Tom y stori roedd yn ei gweld yn un dda iawn.

Yn Bonc Dwll hefyd y byddai mowldiau yn cael eu torri ar gyfer gwneud cerrig cwrlo. Defnyddid cerrig cwrlo'r Gwaith mewn llawer o gystadlaethau rhyngwladol a cherrig o Drefor a gafodd eu defnyddio yng Ngemau Olympaidd y Gaeaf yng Nghanada yn 2002, diolch i berchennog presennol y Gwaith, Trefor Davies. Mae o'n dal i droi'r cerrig yma allan heddiw ac amryw o gerrig eraill hefyd. Gwnaeth waith ardderchog ar y cerrig a gafodd eu trin wrth iddo ailwneud Siop Ben Hendra, ac mae'n werth ei gweld. Diolch iddo am gario rhywfaint o'r gwaith yma ymlaen, sydd mor agos at fy nghalon i ac amryw eraill, mae'n siŵr.

Yn ddiweddarach, câi cerrig o wledydd tramor eu mewnforio a'u trin yn y Gwaith; deuent i mewn i'r wlad yn eithaf rhad fel balast yn y llongau oedd yn dod i mewn heb lwythi.

I'r bonc yma y dôi'r wagenni i fyny'r inclên i nôl y cynnyrch oedd wedi dod trwy'r Felin Falu mewn gwahanol fesuriadau; y wagenni gwag yn dod i fyny ac yn llawn wrth fynd i lawr yn ôl. Âi'r wagenni o dan y gwahanol hoperydd oedd yn y Felin ac wedyn caent eu gollwng i lawr i Brêc Newydd, oedd tua hanner ffordd i lawr yr inclên. Yno, byddai'r wagenni llawn yn cael eu gollwng i lawr i'r Offis fesul pedair, gan dynnu pedair wagen wag i fyny yr un pryd, ac o'r Offis byddent yn cael eu tynnu gan loco un ai i'r iard i'w storio neu i lan y môr. Cedwid y llwyth cerrig yn yr iard ar gyfer eu cludo yn ddiweddarach i wahanol gwsmeriaid gan lorïau'r cwmnïau a ddeuai i'w cyrchu. Lorïau Trefor, y Loris Jim enwog, neu O. H. Owen a'i Fab i fod yn daclus, oedd y prif gludwyr, ac roedd cwmni Johnny Williams, Porthmadog, yn cario'n helaeth oddi yno hefyd. Byddai'r llwythi a âi i lan y môr ar gyfer llwytho llongau'r Cwmni a ddeuai i'r cei yn gyson.

Roedd pedwar neu bump math gwahanol o wagenni. Ceid rhai ag un ochr yn agor a oedd yn addas ar gyfer eu dadlwytho ar y bwrdd tipio. Math o fwrdd oedd hwn, yn rhan o'r ffordd haearn, ond bod dau doriad ynddi er mwyn i'r bwrdd fedru troi ar ei ochor. Pan ddôi'r wagen ar y bwrdd byddid yn ei chlymu â tsiaen i floc o goncrid, ac wrth i'r bwrdd gael ei droi byddai'r wagen yn llympio, ond câi ei dal rhag mynd i ganlyn ei llwyth gan y tsiaen.

Byddai'r malwrs, ran amlaf, yn defnyddio wagen ag iddi ddau dalcen ac un ochr. Ar gyfer cario'r cerrig mawr i'r gwaith cerrig beddi a lleoedd eraill, roedd wagen gwaelod gwastad heb ochrau iddi. Roedd yna wagenni pedair ochr ar gyfer cario llwch i hopar y Gwaith Brics ac yn llympio'u hunain gyda'r

39

Wagen fflat, a llwyth o ebillion arni.

rhan uchaf yn mynd drosodd a'r rhan isaf yn aros ar y ffordd haearn. Roedd hwn yn ddull cyfleus lle nad oedd bwrdd troi, ond bod y wagenni'n cario dipyn llai o lwyth.

5 Brêc Newydd

Mae'n werth dweud rhyw air neu ddau am y ffordd yr oedd y wagenni'n trafaelio i fyny ac i lawr y gwahanol inclêns. Roedd y dull yn syml yn ei hanfod ac yn cael ei ddefnyddio ym mhob chwarel, gan gynnwys y chwareli llechi. Roedd pwy bynnag a feddyliodd am y syniad yn dipyn o athrylith.

Roedd y wagenni llawn yn cael eu gollwng fesul pedair ac wrth iddyn nhw fynd i lawr yr inclên roeddan nhw'n tynnu pedair wagen wag i fyny. Galluogid hyn drwy gyfrwng drwm mawr o goed derw yn gorwedd ar echel drwy ei ganol. Ceid rhaniad ynghanol y drwm i'w wneud yn ddwy adran, gyda rhaff weiren tua modfedd neu well o drwch ynghlwm wrth bob adran. Roedd un rhaff yn lapio a dadlapio dros y drwm, a'r llall yn gwneud hynny oddi tano. Cysylltid un rhaff â thu blaen y wagen wag gyntaf, oedd ar waelod yr inclên, a chysylltid y llall â chefn y wagen lawn olaf. Felly, câi'r drwm ei droi gan bwysau'r wagenni llawn wrth iddyn nhw gychwyn i lawr yr inclên, a châi'r wagenni gwag eu tynnu i fyny'r inclên gan y rhaff arall yr un pryd, gyda'r naill ochr i'r drwm yn gollwng y rhaff i lawr a'r llall yn tynnu'r rhaff arall i fyny.

O gwmpas y drwm, ar ei ymyl, ceid darnau mawr o haearn bwrw, fel segments neu gylchrannau, ac o gwmpas y rheini wedyn roedd cylch o haearn gyda sgriw ymhob pen. Y cylch haearn oedd y brêc, a châi ei wasgu ar y drwm i'w stopio. Pwrpas y sgriws ym mhob pen oedd tynhau'r brêc, yn ôl y galw. Roedd lifar mawr yn cysylltu i'r cylch haearn, a'r brecar oedd yn gweithio hwnnw ac yn rheoli'r cwbl. Swydd gyfrifol iawn oedd swydd y brecar, gan mai fo fyddai'n rheoli cyflymder y wagenni ac yn peri iddynt stopio. Roedd gan y brecar gwt bach i mochel ynddo ar dywydd garw.

Cyn dechrau'r 1950au roedd adegau pan y tynnid pedair wagen lawn i fyny'r inclên yn hytrach na phedair wag. Digwyddai hyn pan fyddid yn mynd â charreg fawr o'r Gwaith i lawr i'r Offis. Câi'r garreg ei gosod ar ddwy wagen fflat, a chan na fyddai tynnu wagenni gweigion i fyny'n gallu gwrthweithio pwysau'r garreg a'r ddwy wagen fflat defnyddid wagenni llawn. Hefyd roedd gofyn atgyfnerthu Pont Sychnant ar yr adegau hyn drwy godi pileri odani dros dro. Ond daeth yr arfer trafferthus hwn i ben pan wnaed gwell ffordd i ddod i Bonc Newydd o Lithfaen, a hynny'n golygu y gallai lorïau ddod yn syth i Bonc Newydd i nôl y cerrig mawr. Ac roedd hyn yn golygu hefyd y gellid rhoi cerrig llawer mwy o faint ar y lorïau yn Bonc Newydd nag a ellid eu cludo i lawr yr inclên.

Byddai dau yn gweithio yn y brêc bob amser, y brecar a'r bachwr. Pan fyddai wagenni yn cyrraedd i fyny, y bachwr fyddai'n rhedeg ac yn dadfachu'r gadwyn drom oedd yn eu cysylltu wrth y rhaff. Cymerai gryn dipyn o amser i ddod i arfer gwneud hyn. Y fo hefyd fyddai'n bachu'r wagenni i fynd i lawr ac wedi iddo orffen, byddai'n gweiddi *Right Behind* a thynnai'r brecar y *scotch*. Pren mawr fyddai'n cael ei osod o flaen olwynion y wagen gyntaf oedd *scotch* i'w hatal rhag cychwyn nes cael y galwad holl-bwysig. Os oedd wagen yn cychwyn heb iddi gael ei bachu, clywech y floedd *run away!* ac roedd gofyn clirio oddi ar y ffordd yr adeg honno. Pur anaml y byddai hynny'n digwydd ond yn anffodus bu damwain angheuol fore Sadwrn y trydydd o Orffennaf 1948 pan gafodd Robert John Jones o Lanaelhaearn ei ladd o ganlyniad i wagen yn rhedeg wrth fynd i lawr o Bonc Newydd i Bonc Drydydd. 39 oed oedd Robert.

Dyma bwt yr wyf yn ei gofio o benillion am y ffordd yma o weithio a sgrifennwyd gan rywun o Benmaenmawr ryw dro:

Wagenni llwch, a fyddai'n cario i'r gwaith brics, y rownd oedd Huw Ifans Stryd Rafon yn chwilio amdani o bosib.

Y wag ar i fyny
A'r lawn ar i lawr
Fel yna y gweithiai
Ym Mhenmaenmawr.

Roedd yr inclên rhwng Bonc Dwll a Bonc Isa (yr un uwch ei phen hi) yn gweithio'n wahanol i'r lleill, a doedd egwyddor 'y wag ar i fyny a'r lawn ar i lawr' ddim yn gweithio yn y fan hon. Dim ond un ffordd yr oedd posib mynd ar y tro a winsh fawr yn gweithio hefo trydan oedd yn tynnu'r wagenni i fyny neu yn eu gollwng i lawr.

Roedd dwy inclên yn mynd i lawr o'r Gwaith i Brêc Newydd; y naill o Bonc Isa a'r llall o Bonc Dwll. O Brêc Newydd byddai'r cerrig yn mynd ar eu taith i'r Offis ar gyfer y lorïau a hefyd i'r tomenydd yn yr iard ar lan y môr ar gyfer y llongau.

Fesul pedair wagen y byddai'r wagenni yn mynd i lawr o Bonc Dwll ac i fyny iddi a'r enw arnynt oedd rownd o wagenni, yn golygu pedair wagen, wrth gwrs. Dwy wagen fyddai'n dod o'r poncydd uchaf gan ei bod mor serth rhwng y poncydd.

Huw Ifans o Stryd Rafon oedd y brecar yn Bonc Dwll. Cysylltiad teliffon oedd yn trefnu teithiau'r wagenni ac yn gofalu fod popeth yn iawn ar gyfer pob siwrnai. Un diwrnod mi drefnwyd y buasai'n rhaid i Huw fynd ar y teliffon ei hun gan fod pawb arall yn rhy brysur neu ddim ar gael, meddan nhw. Nid oedd Huw yn rhyw gyfarwydd iawn â'r gwaith yma ond roedd arno angen wagenni llwch i fyny. Felly, aeth ar y ffôn a gofyn i'r glarces a'i hatebodd, ac a oedd yn rhan o'r cynllwyn, a oedd yna 'siawns am rownd'. Dyma hithau'n ei alw'n hen ddyn budur ac yn rhoi'r ffôn i lawr arno y munud hwnnw. Y cwbl oedd ar Huw ei angen oedd rownd o wagenni llwch ond chafodd o ddim cyfle i orffen ei neges. Daeth allan o'r swyddfa fach lle'r oedd y teliffon, wedi styrbio'n lân ac yn fwg ac yn dân am fynd i lawr i'r Offis i egluro wrth y glarces. Bu cryn dipyn o waith perswadio arno mai tric diniwed oedd y cwbl ond er fod mab Huw, Ifor, yn rhan amlwg ohono nid wyf yn meddwl fod Huw yn rhyw hapus iawn.

Roedd Huw yn dioddef yn ddrwg o'r crydcymalau ac yn defnyddio ffon wrth gerdded i'r Gwaith. Un diwrnod, daeth penaethiaid y Gwaith, a Mr Shannon, prif ddyn y Cwmni yn eu plith, i fyny ar y wagenni. Flynyddoedd ynghynt, bu Shannon yn gweithio yn y Gwaith fel peiriannydd ac roedd Huw ac yntau'n adnabod ei gilydd yn bur dda. Dyma Mr Shannon yn cyfarch Huw a gofyn iddo, '*How's the rheumatic?*' a dyma Huw yn ei ateb, '*Still cricking, and how's your crick now, Mr Shannon?*' Roedd Shannon yntau erbyn hyn ar bwys ei ffon.

Roedd rhai o'r torwyr i fyny â rhyw dric neu'i gilydd byth a beunydd. Roedd dau frawd yn weithwyr eithriadol o dda ac yn gryn arbenigwyr ar ddefnyddio'r sciablar i dynnu'r wâst o'r garreg a'i chael i ryw fath o siâp, gan arbed llawer o waith cŷn a morthwyl. Roedd y ddau yn briod, y naill hefo dau o blant a'r llall yn ddi-blant er ei fod wedi priodi ers sbelan go lew. Roedd y ddau yn eithaf gwyllt eu ffordd ond eto'n glên iawn; yn rhyw gyfarth o hyd ond byth yn brathu. Un diwrnod, daeth y newydd i'r bonc fod gwraig y brawd di-blant yn disgwyl plentyn. A dyma ddau o hogiau'r Gwaith yn sylweddoli ar unwaith fod yna le i gael dipyn o hwyl. Aeth un ohonynt at y brawd oedd â phlant ganddo a gofyn iddo a oedd ei frawd wedi dechrau cadw lojars. Mi ffieiddiodd hwnnw hefo'r fath gwestiwn. 'Bobol bach, nac'di! Rydan ni'n ennill cyflog digon da yn fama; be wnaeth i ti ofyn y ffasiwn beth?' 'O, dim byd' oedd yr ateb, 'dim ond bod rhywun yn deud fod gwraig dy frawd yn disgwyl plentyn.' Cymerodd ryw funud neu ddau i'r geiniog ddisgyn ac yna dyma'r tân gwyllt yn dechrau! Roedd y ddau frawd mor wallgo â'i gilydd a'r ddau arall oedd wedi achosi'r holl ffwdan yn rhoi eu hunain yn hollol ddiniwed. Roedd pethau wedi gweithio yn union fel roedd y ddau wedi'u bwriadu. Ond mi dawelodd y storm.

Roedd Brêc Newydd tua hanner ffordd i lawr y brif inclên, gyferbyn â Fron Olau, mwy leu lai, ar draws y caeau. Roedd yr inclên ei hun yn serth, wrth gwrs, ond roedd Brêc Newydd, a oedd yn rhan o'r inclên, wedi ei gwneud yn wastad. Dyma fan cysylltu'r Gwaith â'r Offis ac i'r fan yma y deuai'r wagenni llawn o'r Felin Falu i gael eu hailfachu cyn mynd ymlaen ar weddill eu taith i lawr i'r Offis. Roedd drwm y brêc oedd y fan yma yn fwy ac yn drymach na'r lleill a byddai'n rhaid newid y segmentau haearn neu'r 'padiau brêc' arno yn amlach. Roedd y rhain yn pwyso'n agos at ddau gan pwys. Byddai dau ohonom yn mynd hefo Ben Williams, y ffitar (y caf sôn mwy amdano yn nes ymlaen) ac yn codi un segment a'i osod ar draws ei ysgwyddau. Aem o'i flaen i fyny'r ysgol haearn at y drwm er mwyn tynnu'r segment oddi ar ei ysgwyddau yn y fan honno. Roedd hyn yn arbed defnyddio bloc a tsiaen. Cewch ddarllen yn nes ymlaen sut roedd hi'n bosibl i Ben wneud y fath beth; wn i ddim beth fyddai pobl yr iechyd a diogelwch yn ei ddweud heddiw!

Y ddau a gofiaf i yn gweithio yn Brêc Newydd oedd Griffith John Owen, New Street a Reggie Jones, Llwyn Onn, y naill yn frecar a'r llall yn fachwr. Flynyddoedd ynghynt, meddent i mi, byddai dau neu dri yn wastad yn torri metlin yn y fan hyn i'w bacio o dan slipars y ffordd haearn. Roedd hyn cyn dyfod oes y cerrig mân. Cerrig tenau oedd metlin a dorrid yn fân gyda morthwyl bach â thwll crwn fel crai ynddo. Roedd i'r morthwyl goes weddol hir o goed cyll fel bod rhywfaint o sbring yn y slap bob tro. Scablings oedd yr enw ar y cerrig hyn ac fe ddefnyddid fforch bwrpasol i'w codi. Roedd tro ym mlaen y fforch rhag i'r scablings ddisgyn i'r llawr.

Brêc Newydd ar derfyn y daith. Y rheiliau wedi'u tynnu ymaith a'r hen inclên yn cael ei darparu ar gyfer y dympars a ddisodlodd y wagenni. Mae gweddillion Brêc Newydd (dim ond y ffrâm) i'w gweld y tu hwnt i'r ddau ar y chwith sy'n gafael yn y rolar.

6 Yr Offis a'r Cei

Wel rŵan, rydym wedi cyrraedd iard y Gwaith neu'r Offis fel y byddai'n cael ei galw. Modurdy Cerbydau Berwyn sydd ar y safle heddiw. Dyma'r lle roedd gweithdai'r dynion cynnal a chadw, ac yn eu plith, y seiri coed. Roedd gan y seiri ddau weithdy, y Gweithdy Mawr a'r Gweithdy Bach. Nhw oedd yn gwneud unrhyw beth oedd ei angen gyda rhai ohonynt yn gwneud dim ond atgyweirio'r wagenni ac weithiau'n gwneud rhai newydd. Yma hefyd yr oedd yr efail, gweithdai'r ffitars, lle'r oedd y gwahanol beiriannau ar gyfer y gwaith atgyweirio, ynghyd â gweithdai'r trydanwyr (Cwt Electrishians), y peintars, a'r dynion cynnal a chadw neu'r 'mentenans' fel y'u gelwid. Ac yma hefyd oedd y Stores, lle cedwid rhywbeth y byddid ei angen ar gyfer y gwaith cynnal a chadw.

Un oedd yn gweithio hefo'r criw seiri coed oedd Naphtali Jones, neu Nafft. Roedd yn hoffi rhyw dynnu coes a dipyn o hwyl. Un diwrnod roedd yn eistedd ar ben y bwrdd yn y cwt byta â'i dun bwyd o'i flaen a John Becws yn digwydd pasio hefo'i banad. Dyma John yn aros wrth ymyl Nafft a dweud wrtho, 'Rydach fi'n fytwr mawr, Nafft'. Fel roedd Nafft yn rhyw dorsythu yn

Wrth fy ngwaith. Trin y ledd yn ngweithdy'r ffitars yn yr Offis.

Y ffordd o'r Offis i'r Hendra. Mae tai Sea View (Trem y Môr bellach) ar y dde, a rhes isaf Ffordd yr Eifl ar y chwith. Roedd iard lo yng nghyffiniau tai Ffordd yr Eifl cyn iddyn nhw gael eu hadeiladu, ac mae'r hen reilffordd oedd yn cario'r wagenni glo i'r Offis i'w gweld ar ganol y ffordd.

Yr hopar newydd yn yr Offis a'r peiriant tarmac y tu hwnt iddo. Codwyd yr hopar pan newidiwyd y drefn a chael dympars i gario i lawr o'r Gwaith yn hytrach na'r wagenni. Roedd yn hwylusach llwytho lorïau fel hyn gan eu bod yn gallu mynd yn syth o dan yr hopar.

ei sêt wrth glywed hynny ac yn barod i egluro'r rheswm pam, dyma John yn ychwanegu 'o weithiwr bach'. Mi welach Nafft yn gwingo a phawb arall yn gweiddi hwrê. Mi cymrodd Nafft hi'n iawn ar ôl ei deud hi am y 'John Becws ddiawl 'na'.

Bryd hynny roedd y rhan fwyaf o dai Trefor yn eiddo i'r Cwmni, ac at ei gilydd yn y tai hynny yr oedd y dynion a wnâi'r gwaith cynnal a chadw yn byw. Gan eu bod yn anhepgor, ni fyddent hwy yn cael eu cardiau pan fyddai pethau'n slacio yn y Gwaith, a phan fyddai hynny'n digwydd y rhai cyntaf i gael eu cardiau fyddai'r rhai oedd yn byw yn eu tai eu hunain.

Yng nghyffiniau'r Offis roedd y gwaith brics, y tarmacadam, a'r lle llwytho

Tri loco y daeth eu hoes i ben gyda dyfodiad y dympars. Hunslet ar y chwith a dau Simplex.

lorïau. Yng nglan y môr roedd yr hopar fawr ar y cei yn dal gwahanol fathau o gerrig mân a dyn yn edrych ar ei hôl. Dreifars y locos oedd yn gyfrifol am lwytho'r llongau ac roedd craen Ruston Bucyrus mawr yn llwytho'r wagenni o'r tomennydd anferth oedd yn yr iard ar lan y môr.

Rhwng pawb, mae'n debyg fod tua 120-150 o weithwyr yn gweithio yn y rhan yma o'r Gwaith, ac yn y fan hyn y dechreuais i weithio yn bedair ar ddeg oed yn haf 1943, yn brentis ffitar fel rhai oedd yn cydoesi â fi ac amryw o'm blaen. Buom yn eithriadol o ffodus i gael y crefftwr gorau a welais i erioed i'n hyfforddi. Yn ddi-os, ef oedd yr ôl-rywndar gorau y gallech ei gael ac ar ben hynny roedd yn ŵr bonheddig i'r carn. Credwch fi, roedd ganddo waith cadw trefn arnom i gyd ond fe lwyddodd i wneud hynny gan ennyn ein parch ato ar yr un pryd. Ei enw oedd Hughie Jones, ac mae gan bawb fu o dan ei oruchwyliaeth ddyled fawr iddo. Fel y rhan fwyaf o'i gyfoeswyr, dim ond ysgol y pentref roedd wedi'i chael ond roedd o bob amser y tu hwnt i rai yn y Gwaith oedd wedi cael addysg coleg yn y maes ac mi ddysgon ni lawer ganddo.

Dyma brawf o'i allu. Roedd darn oedd yn rhan o'r craen stêm wedi torri, sef darn o sgriw oedd yn cau'r stêm ac arni yr hyn oedd yn cael ei alw yn *three start thread*. Hynny yw, yn syml, yn lle bod angen troi'r olwyn lawer gwaith er mwyn cau'r falf, roedd rhyw ddau dro yn ddigon. Ar y pryd, Tom Hughes, un a ddaeth o Benmaenmawr, oedd rheolwr y mentenans i gyd. Roedd yn grefftwr pur dda gydag un arall o Benmaenmawr, Eifion Rees Jones yn gyfrifol am y cerrig beddi yn Bonc Dwll. Deuthum yn ffrindiau hefo Eifion a chael llawer o hwyl hefo fo. Pan dorrodd y darn yn y craen, bu'r ddau yn ystyried ei yrru i Benmaenmawr i gael ei drwsio, gan fod cymaint o waith arno. Dyma Hughie Jones yn rhoi ei bwt i mewn a gofyn pam oedd angen ei yrru'n ôl i Benmaenmawr. Mae'n debyg eu bod yn meddwl nad oedd neb yn ddigon tebol i wneud y gwaith yn Nhrefor, ond doeddan nhw ddim am ddweud hynny ar ei ben. 'Pwy neith o yma felly?' gofynnodd Tom Hughes. Roedd John Becws a fi yn sefyll wrth ymyl Hughie ar y pryd a dyma fo'n troi atom a dweud 'mi neith yr hogia 'ma fo'. Edrychodd Tom ac Eifion ar ei gilydd mewn syndod. 'Gadwch inni,' meddai Hughie. Roedd gwneud yr echel ei hun yn ddigon syml ond nid oedd gan John na finnau ddim syniad sut i dorri'r math yma o sgriw. Ond dangosodd Hughie sut inni ac fe'i gwnaed hi yn ardderchog. Roedd Hughie wrth ei fodd wrth gwrs yn cael mynd at Tom Hughes ac Eifion i ddweud. Roedd Hughie y tu draw iddyn nhw i gyd.

Fforman arall yn yr Offis ac yn tynnu at oed ymddeol oedd Charles Webber. Roedd yntau yn ddyn pur ddawnus, yn hannu o Gernyw ac wedi dod hefo'i frawd i weithio i'r Gwaith fel ffitar. Priododd â merch leol a oedd yn gogyddes bur dda. Un arall oedd yno oedd Ben Williams, y soniais amdano o'r blaen. Roedd Ben eto yn ffitar reit dda a fo hefyd oedd plymar y Cwmni. A dyma'r adeg yr oedd rhan helaeth o'r tai yn Nhrefor yn eiddo i'r Gwaith. Nid wyf am funud yn gwawdio Ben mewn unrhyw fodd, dim ond nodi ffeithiau amdano. Dyn bychan sgwâr oedd o, cwta bum troedfedd o daldra ac yn pwyso rhyw 19-20 stôn. I brofi ei fod yn sgwâr, tynnai Ben ei felt oddi am ei ganol a'i ddal o o'i ben i'w draed ac roedd yn mesur yn union yr un faint. Gweithiais dipyn hefo Ben, ac ar ambell benwythnos byddem yn gorfod mynd i boncydd ucha'r Gwaith i drwsio rhywbeth neu'i gilydd. Byddai'n gryn ymdrech i 'rhen Ben ddringo'r stepiau cerrig peryglus rhwng y ponciau hefo'r coesau byr oedd ganddo ac roedd yn llawn cynddrwg ar y ffordd i lawr.

Aeth Ben i Gaernarfon un tro hefo'i ffrind Robat Richard i chwilio am gôt i siop H. R. Phillips yn Stryd Llyn. Mi estynnodd H. R. gotiau di-ri ond os oedd y gôt yn ffitio canol Ben, roedd droedfeddi yn rhy laes. Ar y llaw arall, os oedd yr hyd yn iawn, doedd dim gobaith iddi gau am ei ganol. Wedi hir ymdrechu dyma H. R. yn dod i ben ei dennyn ac yn dweud wrth Ben, 'Ddyn glân, nid côt ydach chi ei hangan ond tent!' Roedd Ben wrth ei fodd hefo'r stori yna; roedd yn gwybod cyn dechrau fod gan H. R. dasg amhosibl a'r diwedd fu iddo gael ei fesur am gôt.

Dro arall roedd Ben a Tomi Japheth yn gweithio ar danc dŵr yn nhŷ Jim a Beryl Owen, Gwynfryn, sef perchennog y Loris Jim enwog. Roedd y tanc i fyny yn y nenfwd a'r unig ffordd i fynd ato oedd drwy dwll trapddor yn y nenfwd. Aeth Tomi drwy'r twll yn ddigon hwylus a Ben yn rhoi gorchmynion iddo beth i'w wneud. Er tegwch â Tomi, mae'n rhaid dweud y gallai Ben fod yn ddigon pigog ar adegau. Roedd Tomi yn methu cael hwyl ar y gwaith a dechreuodd Ben golli'i limpyn. Dyma fynd ar ben yr ystol risia a cheisio mynd drwy'r twll ei hun ond aeth yn sownd fel corcyn potel, a'i draed yn yr awyr. Os oedd o'n bigog cynt, roedd fel draenog rŵan, a druan o Tomi. Dechreuodd Beryl chwerthin a dweud rhyw bethau digon bras. Yn y diwedd, bu'n rhaid cael Hughie Jones a rhai ohonom ni yno i gael Ben yn ôl ar dir sych.

Ond pigog neu beidio, roeddwn yn dipyn o ffrindiau hefo Ben a chwith garw oedd ymweld â fo yn ystod ei waeledd olaf ac yn yntau'n ddim ond cysgod o'r dyn bychan sgwâr yr oeddwn yn ei adnabod gynt.

Hughie Jones (chwith) a Benjamin Williams
(Ben Bach) yn1940.

Gwilym Lloyd, Eurwyn Baum, Beatie Cox a Robin Vaughan Pritchard yn trwsio'r peiriant brics yn Awst 1962.

Un oedd yn gweithio yn y Gweithdy Saer yn yr Offis oedd Elwyn Jones, Tyddyn Drain, Llanaelhaearn. Daeth Elwyn wrth gwrs yn enwog iawn fel canwr ac fel Elwyn Jones Llanbedrog yr adnabyddid o, ond Elwyn Tyn Drain ydi o i ni. Rwyf yn cofio Elwyn yn dechrau canu ac yn cystadlu yn Eisteddfod Gŵyl Ddewi Trefor, oedd yn llewyrchus iawn ar un adeg. Roedd Dic Bach, neu Richard Thomas i roi iddo'i enw priodol, dreifar loco fawr yn yr offis ac un o'm ffrindiau, wedi betio hanner coron hefo Elwyn nad oedd ganddo obaith ennill yn yr eisteddfod. Roedd Elwyn wedi derbyn yr her a finnau oedd yn cadw'r arian. Dyma'r noson fawr yn cyrraedd a rhyw hanner dwsin ohonom yn eistedd yn y galeri yng Nghapel Maesyneuadd, a Dic Bach yn ein plith. Roedd Elwyn yn cystadlu ar yr Unawd Gymraeg a'r Her Unawd ac fe enillodd y ddwy gyda chanmoliaeth uchel gan y beirniad. Pan aeth i'r llwyfan i nôl ei wobrau edrychodd i'r galeri a dal ei law allan i gyfeiriad Dic Bach!

Cafodd Nhad a minnau y fraint o'i glywed yn canu yn Llangefni pan enillodd y Rhuban Glas yn 1957. Cafodd groeso mawr yn y Gwaith y dydd Llun canlynol hefyd. Rwyf yn ei gofio yn canu mewn cyngerdd gyda Band Trefor yng Nghapel Maesyneuadd ac ni chododd ddimai o dâl am ei waith. Byddaf wrth fy modd yn gwrando ar ei recordiau heddiw.

Ac o sôn am ganu, bu côr meibion yn yr Offis ar un adeg o dan arweiniad Richard S. Williams, neu Dic Sam, fel y'i gelwid. Gof yn y Gwaith oedd o wrth ei alwedigaeth, yn cadw awch ar yr offer. Pan gaewyd y gefeiliau oedd yn y poncydd gyda dyfodiad peiriannau newydd daeth y gofaint i lawr i'r Offis ac i weithio fel ffitar's mêts, ac roedd R. S. yn eu plith. Roedd yn ganwr pur dda yn ei ddydd a bu'n cystadlu llawer. Un arall a ddaeth atom yn ffitar's mêt oedd Robert John Jones, oedd yn gymeriad a hanner, yn union fel ei dad, Tomi Meinar, y down ar ei draws yn nes ymlaen. Tyllu heyrn a gwneud powltiau ar gyfer y wagenni oedd yn cael eu hailwneud gan y seiri coed (fe welwch fod ailgylchu yn digwydd yn y cyfnod hwnnw hefyd) oedd Robat John Catrin fel y'i gelwid. Yn aml iawn, byddai rhywun wedi rhoi tro yn y belt oedd yn gyrru'r peiriant tyllu gyda'r canlyniad fod y dril yn troi'n groes, a byddai Robat John yn pwyso hynny fedrai ar yr olwyn i dyllu nes bod mwg yn codi a'r dril yn wynias, a byddai hyn yn para nes pasiai rhywun fel Hughie Jones i ailosod y belt.

Erbyn fy amser i, caem ein cyflog ar ddydd Gwener yn hytrach na dydd Sadwrn fel yn yr hen ddyddiau. Eto i gyd, byddem yn dal i gyfeirio at ddiwrnod y cyflog fel Sadwrn tâl. Bob yn ail wythnos, caem dâl llawn am ein gwaith. Sadwrn syb fyddai'r wythnos arall a byddai'r swm hwnnw'n cael ei dynnu o'r tâl. Bob Sadwrn tâl, byddai Robat John, ac amryw eraill hefyd o ran hynny, yn brysur hefo rhyw bensal bach yn ailwneud ei gyflog. Pwrpas hyn oedd celu rhag Mrs Jones ei fod yn celcio ar y slei ac felly doedd o ddim eisiau iddi hi wybod faint o gyflog yr oedd yn ei gael. Un Sadwrn tâl, roedd Robat John adref yn ei wely yn sâl a finnau yn mynd â'i gyflog iddo. Pan gyrhaeddais at y tŷ a hwylio i fynd i lawr y stepiau at y drws cefn dyma ffenast y llofft yn agor a Robat, allan at ei hanner, yn gweiddi 'Cym ddiawl o ofal!' Pan oeddwn yn curo'r drws, dyma Robat yn cyrraedd yn ei drôns ac yn rhoi pwniad i Mrs Jones o'r ffordd ac i ffwrdd â fo i'r llofft a'r cyflog yn ei grafangau. Roedd Mrs

Jones yn edrych yn hurt arno, ym methu deall beth oedd yn digwydd. Roedd gan Robat goed afalau bwyta da iawn yn ei ardd gefn, yn llawn o afalau cochion braf. Un gyda'r nos, dyma Edgar, tad Gareth (Gato), a minnau yn penderfynu mynd i nôl rhai ac yr oedd gennym fag papur i'w dal. Dyma roi rhyw dri neu bedwar afal yn y bag a bwyta un bob un wrth gerdded drwy ddrws cefn Robat ac allan drwy'r drws ffrynt heb ddweud dim, gan basio heibio i Robat a Mrs Jones oedd yn eistedd wrth y tân. Wel dyma weiddi ond, yn y gwraidd, roedd wrth ei fodd hefo rhyw lol fel yna ac yn sôn wrth bawb yn y Gwaith drannoeth.

Bu'n berchen ar foto-beic ar un adeg hefyd, ac un diwrnod mi aeth am Bwllheli am dro, y fo wrth y llyw a'r wraig yn eistedd y tu ôl iddo, wysg ei hochor yn barchus, yn ôl arfer y cyfnod; *side saddle* yn Saesneg. Yn ymyl Pont Rhyd Goch rhwng Llanaelhaearn a'r Ffôr roedd ynys wellt ac roedd gofyn gyrru o'i hamgylch. Pan oeddan nhw ar eu ffordd adref, a nhwtha wedi cyrraedd cyffiniau Lodge Trallwyn, dyma fo'n gweddi rhywbeth ar ei wraig. Chafodd o ddim ateb. Gwaeddodd drachefn, ond chafodd o ddim ateb wedyn chwaith. Aeth yn ei flaen sbelan, ond tua'r Gydrhos, dyma stopio'r beic a dyma fo'n gweld nad oedd Mrs Jones yno. Trodd yn ôl am Bwllheli a phan gyrhaeddodd Bont Rhyd Goch, pwy oedd ar ganol yr ynys wellt ond Mrs Jones. Doedd hi ddim gwaeth, dim ond wedi rowlio oddi ar y beic wrth i R. J. ochri gormod.

Ar ôl yr ail Ryfel Byd, daeth yr hogiau oedd wedi mynd i'r fyddin yn ôl i'w hen swyddi. Un o'r rhain oedd Gwilym Lloyd Hughes, oedd yn of, ac un o'r goreuon hefyd. Deuthum yn ffrindiau mawr hefo Gwil a fi oedd ei was priodas pan briododd hefo Edwina. Un arall o'r ffitar's mêts oedd Fred Cox, a achubwyd o'r felin pan laddwyd Wmffra Jones.

Roedd tri ohonom ni'r hogiau tua'r un oed wedi dechrau gweithio yno o fewn ychydig fisoedd i'n gilydd. David John Jones (John Becws) ddaeth ar fy ôl i ac yna Edgar Thomas, a fu farw'n ifanc. Daethom yn gyfeillion pennaf; mae John Becws erbyn hyn yn byw ym mhen uchaf yr Alban a byddwn yn cysylltu â'n gilydd yn rheolaidd am sgwrs ac aiff honno'n ôl i'r Gwaith yn aml iawn.

Un arall yr wyf yn ei ddyled yn y Gwaith yw'r diweddar Ronnie Downes. Roedd wedi darfod ei brentisiaeth fel ffitar pan ddechreuais i yno a bu'n ffrind da iawn a pharod ei gymwynas i mi ac eraill. Roedd yn hogyn peniog iawn; ymfudodd i Seland Newydd ar ddechrau'r 1950au ac yno y treuliodd weddill

Ddoe a heddiw. Byddai'r cerrig yn cael eu storio yn yr hopar ar gyfer eu llwytho i'r llongau. Bellach diflannodd y tai ac yntau, ac aeth rhywbeth mor syml a naturiol â gwerthu mecryll ar y traeth yn drosedd.

ei oes. Mae ei frawd, Roderick, a fu'n gweithio am flynyddoedd ar yr ochr weinyddol yn Swyddfa'r Gwaith, yn dal i fyw yn Nhrefor gyda'i wraig, Mair.

Ffitar arall llawn hwyl ac wedi'i brentisio yn y Gwaith oedd William Thomas, Hengwm. Fo oedd tad Gareth Thomas, cyn-aelod seneddol Llafur Gorllewin Clwyd, a'r ymgeisydd Llafur am yr un sedd yn etholiad 2015. Rhoddais fenthyg fy meic a oedd bron yn newydd i Wil ac aeth ar ei ben i'r wal a phlygu asgwrn cefn y beic. Bu llawer o hwyl hefo'r helynt yma. Ben Williams oedd y twrna ac mi benderfynwyd fod Wil i dalu saith bunt a cheiniog i'm digolledu. Roedd y geiniog yn bwysig, meddai Ben, i ddangos yr hawl gyfreithiol. Mi ddaru John Jones y gof drwsio'r beic ac mi gafodd Wil ryw chweugain (50c heddiw) yn fwy amdano wedyn.

Roeddem ni fel prentisiaid yn niwedd yr 1940au, yn seiri, trydanwyr a ffitars, yn mynd i Ysgol Frondeg, Pwllheli, bob dydd Mercher, yn ogystal â phrentisiaid o Gae'r Nant, Llithfaen. Byddem yno am y diwrnod a dyma ddechrau'r drefn a ddaeth mor gyffredin wedyn, sef rhai mewn gwaith yn derbyn hyfforddiant mewn coleg technegol am ddiwrnod bob wythnos. Y rhai a gofiaf yn Frondeg yw John Becws, Robin J. Jones (trydanwr), Elwyn Owen (saer coed), Wilfred Tyrrell (saer coed), Edgar Thomas a minnau o Drefor. Ac o Gae'r Nant, Elwyn Jones (trydanwr) a Richard David Roberts (saer coed). Un o'r athrawon yn Frondeg oedd Gwilym Evans o Nefyn a byddai'n dod i Drefor un gyda'r nos yn ystod tymor y Clwb Ieuenctid i roi gwersi i ni ar luniadu cymhwysol. Priododd Mr Evans hefo Nancy Mai Williams o Drefor, oedd yn athrawes yn Frondeg. Byddem yn ei atgoffa fod y dosbarthiadau nos wedi bod yn help iddo gael gwraig gan mai Nancy Mai oedd arweinydd y Clwb Ieuenctid ar y pryd.

Roeddwn yn sôn am Robat John a Fred Cox, a oeddynt, gyda llaw, yn frodyr yng nghyfraith. Roeddem wedi sylwi fod y ddau yn dod ag ŵy bob un yn eu tun bwyd. Ŵy angen ei ferwi fyddai gan Fred a byddai'n gwneud hynny ar dân y gof yn yr efail nes ei fod yn galed ac wedi duo, bron. Ŵy wedi'i ferwi'n galed oedd gan Robat John a byddai'n ei dorri gyda rhyw gnoc bach ysgafn ar gongl y bwrdd yn y cwt byta. Aeth y demtasiwn yn ormod wrth gwrs a dyma ffeirio'r ddau ŵy yn slei bach. Daeth Robat John am ei ginio yn ôl ei arfer. Eisteddodd wrth y bwrdd, estynnodd yr ŵy o'i dun bwyd gan ei fwytho yn ei law am eiliad. Yna, rhoes gnoc ysgafn iddo ar gongl y bwrdd nes oedd yr ŵy amrwd yn llifo ar hyd y bwrdd ac ar ei ddillad. Sôn am iaith, roedd yr awyr yn las a Mrs Jones y wraig, druan, yn cael y bai. Duw a'i helpo y noson honno, wedi anghofio berwi'r ŵy. Os cafodd rhywun fai ar gam erioed, Mrs Jones oedd honno.

William Japheth, y soniais amdano ar y dechrau, oedd gofalwr y cwt byta yn yr Offis. Erbyn hyn roedd o gwmpas oed ymddeol, neu wedi'i basio o bosib. Byddai gan William ryw stôl fach wrth y stôf yng nghanol y cwt byta ac yno y byddai'n eistedd ac yn mwynhau ei hun. Ar y pryd, roedd y Mau Mau yn achosi llawer o ddifrod yn Kenya a byddai llawer o sôn am hynny. Un amser cinio, pan oedd pawb yn bwyta'n ddigon hapus a'r lle'n ddigon tawel, dyma'r ffrwydriad mwyaf dychrynllyd yn y stôf. Roedd hi'n ymddangos fel pe bai'n bwrw eira yn y cwt gan fod y gwyngalch yn syrthio'n gawod o'r nenfwd i de a bwyd pawb. Neidiodd William ar ei draed mewn braw gan weiddi nerth esgyrn ei ben 'Mae'r Maw Maw wedi cyrraedd yma, myn diawl!' Tymor y tân gwyllt oedd hi ac roedd rhywun wedi gollwng bangar neu ddwy i lawr corn simdde'r cwt byta. Nid oedd neb yn gwybod pwy wnaeth neu mi fyddai'n bur ddrwg arno. Fel mae'n digwydd, yr unig un oedd yn absennol o'r cwt ar amser y ffrwydriad oedd Eric Fraser, un o'r prentisiaid fenga' a chymeriad garw. Roedd yn sefyllfa ddoniol ar y pryd, ond o edrych yn ôl, gallasai fod wedi troi yn annifyr hefyd. Ddaeth yr hen William ddim i fwyta i'r cwt wedyn; roedd yn dal yn ofalwr ond yn bwyta yn rhywle arall.

Soniais yn barod am allu Mrs Webber fel cogyddes. Un dydd Sul, roedd John Becws a minnau yn gweithio hefo Webber yn y Pŵar Hyws yn atgyweirio llif. Roeddem wedi cyrraedd yno o'i flaen ac wedi gwneud tân yn y stôf pan ddaeth Webber, yn cario basged wellt. Tuag un ar ddeg o'r gloch, dyma ganfod beth oedd yn y fasged wrth weld Mr Webber yn rhoi'r gacan fawr yma ar y stôf i dwymo nes yr oedd oglau da dros y lle. Pan daeth yn amser cinio, roedd ganddo dri phlât a thair fforc. Beth oedd y gacen ond pastai Gernyw anferth ac mi rhannodd hi'n dri a dyna'r bastai Gernyw orau a fwyteais erioed na chynt na chwedyn. Bob tro y byddaf yn gweld un, aiff fy meddwl yn ôl at Mr a Mrs Webber a'r dydd Sul arbennig hwnnw.

Cefais lawer darn o deisen gan Mrs Webber pan fyddwn yn mynd yno i nôl rhyw neges neu'i gilydd i'w gŵr. Bob tro, byddai'n fy siarsio i 'beidio sôn wrth Charlie' ac yntau wedyn yn fy holi pan awn yn ôl a oeddwn wedi cael paned a chacan ai peidio. Minnau'n gwadu bob tro heb fawr feddwl am yr hwyl a gaent wrth sôn am y peth hefo'i gilydd gyda'r nos. Os oedd rhywun yn ddiniwed (rhyw un ar bymtheg oed oeddwn ar y pryd) eto i gyd roedd yn amser difyr iawn hefyd. Dau glên iawn oedd Mr a Mrs Webber. Cawsant brofedigaeth fawr pan fu farw mab iddynt yn ei ugeiniau cynnar, cyn y rhyfel. Yn ôl y sôn, roedd fachgen dymunol iawn ac yn chwaraewr pêl-droed reit dalentog. Daliai Mr Webber i ddilyn y tîm lleol a phan fyddwn i'n chwarae a bod angen gweithio penwythnos, byddai'n caniatáu i mi gael y prynhawn Sadwrn yn rhydd ac yn dweud wrthyf am ddod i mewn bore Sul. Byddai hyn yn mynd dan groen John Becws, oedd yn gorfod gweithio ar y pnawn Sadwrn, a chawn ei chlywed hi ddydd Sul ond yn fuan iawn byddai popeth yn ôl yn ei drefn.

Roedd hi wedi dod yn rhyw arferiad gennym ni fel ffitars i wneud cylch o ryw chwech os byddai gan un ohonom fferins. Câi'r clap fferins ei daflu i ganol y cylch, ac yna dechreuid cwffas amdano, a honno'n un ddigon caled yn aml. Wrth i'r gwffas fynd yn ei blaen, byddai rhai'n ildio, neu'n gorfod ildio, gan adael dim ond ryw ddau ar ôl. Un tro, Robin Vaughan, un o deulu Camfa'r Bwth, Clynnog, a minnau oedd ar ôl. Ac yn y sgarmes, fe drawyd y stôf fawr oedd ar ganol y llawr, nes i'r tân fynd ar hyd y llawr coed ac i hwnnw ddechrau tanio. Roedd pawb yn rhedeg mewn panig wedyn i nôl dŵr o'r cafnau yn yr Efail ac mi lwyddwyd i ddiffodd y tân cyn iddo afael yn iawn. Ond gallai fod wedi bod yn llawer gwaeth, debyg iawn. Gyda llaw, gan Robin Vaughan y clywais y dywediad 'Daw Awst, daw nos' gyntaf erioed.

Yn naturiol ddigon, roeddem yn bur hoff o chwarae rhyw dric neu'i gilydd, fel y gwelsoch yn stori ŵy Robat John. Os oedd rhywun yn cael cwpan enamel newydd, byddem yn sylwi sut roedd hwnnw'n ei ddal wrth yfed ohono. Wedyn, nôl y cwpan yn slei bach a rhoi twll bach fel pen pin o dan yr ymyl, ac wrth i'w berchennog yfed ohono wedyn byddai diferion o'r te yn rhedeg i lawr ei ên. Roedd yn sefyllfa ddoniol iawn i edrych arni. Yn amlach na pheidio, dôi'r perchennog â'r cwpan atom ni'r ffitars i gael ei drwsio a ninnau'n gwneud hynny a neb ddim callach!

Tric arall yn y gweithdy oedd yng ngofal Ken Strello ac Edgar Thomas oedd yr *Indian Rope Trick*. Eisteddai Ken ar focs bychan a basged wellt o'i flaen, yn chwibanu drwy bîb fach yn ei geg. Dôi amryw i weld digwyddiadau fel hyn amser cinio. Pan chwythai Ken y bîb am y trydydd tro, byddai rhyw gynnwrf yn y fasged wellt ac yna gwelid y rhaff yn codi'n araf. Doedd dim arall i'w weld gan fod y gwylwyr yn gorfod sefyll ryw sbel oddi wrth y perfformiwr. Roedd pawb yn synnu at y peth, ond yr hyn oedd yn digwydd go iawn oedd fod Edgar wedi dringo i nenfwd y gweithdy heb i neb wybod ac yn tynnu'r edau ddu oedd wedi ei chlymu ar flaen y rhaff. Roedd Ken ac yntau'n deall ei gilydd i'r dim; doedd dim posib i neb weld yr edau ddu yn nüwch y gweithdy. Byddai yno hwyl garw, yn ddigon tebyg i *Workers Playtime* amser y rhyfel.

Cofiaf griw o'r Gwaith yn mynd ar wibdaith i Lerpwl un Sadwrn ac roedd John Becws, Edgar a minnau arni yn ogystal ag Elwyn Owen. Beth welsom ni yno ond rhyw ddyn yn dal bricsen reit fawr ar ei frest a dyn arall yn ei tharo hefo gordd ac yn ei thorri. Yr wythnos wedyn, dyma fynd ati i baratoi am y gamp yma! A dyma wneud plât dur tenau i fynd ar y frest a'i glymu hefo llinyn am y cefn. Fi oedd yr hurtyn yn dal y fricsen a John neu Edgar yn taro hefo'r ordd. Mi wnaethpwyd y tric yma am ryw dri amser cinio; cafwyd llawer o hwyl ond roedd yn ddigon poenus i'r sawl oedd yn dal y fricsen, coeliwch fi!

Peth arall digon doniol a welais i ar amser cinio yn y cwt byta oedd Robin Jones neu, i ni, Sparcs, a oedd tua'r un oed â ni ac yn drydanwr yn y Gwaith, yn cynnig brechdan gig i Griffith Williams, gofalwr y cwt byta cyn dyddiau William Japheth. Un o hogiau Capas Lwyd oedd Griffith a oedd yn ŵr gweddw erbyn hyn ac yn byw ym Mhwllheli. Yr hyn oedd Robin wedi'i wneud oedd rhoi rwber tenau oedd yn cael ei ddefnyddio hefo peipiau yn y frechdan. Dyma Griffith yn dechrau bwyta a chael dipyn bach o drafferth; tynnai dipyn ar y frechdan ac roedd ei gweld yn ymestyn o'i geg ac yn ôl wedyn yn ddoniol iawn. Dyma Robin yn gofyn i Griffith a oedd wedi'i mwynhau hi. 'Neis iawn, fachgan, ond bod y cig yn wydn ofnadwy ac mi rois hwnnw yn y bwcad, diolch yn fawr i ti'.

Un o'r hogiau oedd yn llwytho'r llongau ar y cei ac yn dipyn o gymeriad oedd Nelson. Pan oedd llong i mewn unwaith, roeddent ddyn yn fyr ar y criw. Perswadiodd rhai o'r hogiau Nelson i fynd hefo'r llong a chafodd groeso gwresog gan y Capten. Wedi i'r llong hwylio rhyw ychydig allan i'r bae, mi drawodd hiraeth Nelson ac aeth at y Capten a dweud yn bur gas wrtho, 'ylwch, rhai i chi fy rhoi yn y lan gynta posib, mae goriad y cwt ffurat yn fy mhocad!' Ac felly y bu. Aethpwyd ag ef i'r lan mewn cwch yng Nghaernarfon. Roedd Nelson wrth ei waith drannoeth yn malio dim a'r ffurat bach yn falch iawn o'i weld medda fo!

Bu Nelson yn canlyn rhyw ferch o Gaernarfon ar un adeg. Galwai yno bob nos Sadwrn ond nid siocledi y byddai yn eu cario iddi ond bagiad bach o wichiaid wedi'u berwi. Mi ddaeth y garwriaeth i ben a'r hogiau'n gofyn ai hi oedd wedi rhoi'r gorau iddo fo. 'Naci, fi iddi hi'. A'r hogiau wedyn yn gofyn y rheswm pam a chael yr ateb, 'Ei chrys isa hi oedd yn fudur'. Tybed oedd y gwichiaid wedi gweithio?

Yn niwedd yr 1950au daeth yr hen ddull o weithio yn y Gwaith i ben. Fel y crybwyllais o'r blaen, adeiladwyd y Felin Fawr yn Bonc Newydd a daeth dympars Foden mawr i gario'r stwff o Bonc Dwll. Roedd llefydd wedi'u haddasu yn y fan honno iddynt gael eu llwytho. Gan fod y dympars yn dod i lawr inclên serth o Bonc Dwll i'r Offis, bu'n rhaid eu haddasu hefo tanciau aer ychwanegol ar gyfer y system brecio, oherwydd doedd yr un gyffredin ddim yn ddigon da. Adeiladwyd hopar fawr newydd yn yr Offis a chonfeior yn llwytho iddi yr hyn yr oedd y dympars yn ei gario i lawr. A gallai'r lorïau oedd yn cario oddi yno gael eu llwytho oddi tani. Roedd y system yn gweithio'n bur dda ac mi wnaed confeior symudol i hwyluso'r gwaith o lwytho'r llongau.

Ond, wrth gwrs, roedd y moderneiddio yma yn gwneud i ffwrdd â dynion fel sy'n digwydd ym mhob man, a daeth oes Brêc Newydd i ben hefyd wrth gwrs. Bu'r math yma o weithio yn mynd ymlaen am beth amser ond gwanio oedd hi fesul dipyn at ddiwedd yr 1960au a dechrau'r 1970au. Daeth y cyfan i ben yn Hydref 1971, ond ymhen ychydig flynyddoedd ailagorodd y chwarel, ar raddfa lawer llai wrth gwrs, pan brynodd Trefor Davies hi. Ond ymhell cyn 1971 roedd y rhan fwyaf o'r hogiau wedi mynd i weithio i lefydd eraill a minnau i'w canlyn, ond er hyn i gyd does unlle yn debyg i'r hen waith i mi. Erbyn heddiw, mae'r rhan fwyaf o'r hen gyfeillion wedi'n gadael ond eto mae rhyw hapusrwydd a dedwyddwch wrth edrych yn ôl.

7   John Williams Tŵr a'i lyfr

Soniais eisoes am fy ewythr, John Williams, fel y dyn oedd yn gofalu fod pawb yn gwisgo ei helmed pan ddaeth gwneud hynny'n orfodol, ac amdano'n sgrifennu *Oriawr Fy Nhad* wedi i'w dad, William Williams, gael ei ladd yn y Gwaith yn 1914. Roedd yn ewythr hefyd i Stephen, fy nghefnder, a gafodd ei ladd yn Bonc Seithfad y dydd Mercher hwnnw ym Mawrth 1948. Roedd Yncl John yn daid ar ochr ei fam i Dewi Williams, cyn athro Hanes Ysgol Glan y Môr ym Mhwllheli, a chymwynaswr diflino i bob agwedd ar hanes Llŷn ac Eifionydd. Ac, ynghadw yng nghartref Dewi ym Mhenmorfa, mae llyfryn o hunangofiant Yncl John, mewn llawysgrifen daclus sy'n llenwi deunaw

Pedwar brawd – John (awdur yr hunangofiant) a Hugh (fy nhad) yn y cefn, a Dic a Wil yn eistedd.

tudalen ar hugain o lyfr sgwennu, yr *exercise book* bondigrybwyll a fu'n destun diwydrwydd neu gasineb cenedlaethau o blant yn eu tro. Mae'n dechrau'n daclus yn y dechrau:

Ganwyd fi yn New Street, Trefor ar y pumed o Orffenaf 1882. Yr oeddwn yn un o naw o blant. Un o'r pethau cyntaf a gofiaf yw i mi ddianc o'r tŷ i'r stryd i ganol tociau o eira. Daeth fy mam ar fy ôl, ceisiais innau guddio ond daliodd fi ac aeth a fi yn ôl i'r tŷ. Dyna 'eira mawr Mis Mawrth' fel y'i gelwid yn 1886.

Mae ei bortread o'r ysgol a'i phrifathro'n un cyfarwydd i bawb sydd wedi darllen am ysgolion ac addysg y cyfnod, ond eto mae ei gael o lygad y ffynnon fel hyn yn amheuthun:

Miss Agnes Jones oedd fy athrawes yn yr 'Infants' a B. O. Jones oedd y prifathro – Gŵr gweddol dal, ysgafndroed a gwallt du llaes ganddo. Un gwyllt ei dymer a byddai'n curo yn ddidrugaredd. Yr oedd yn llwyddo yn dda i ddysgu'r plant ar gyfer eu harholiadau, ond nis credaf ei fod yn gallu cyflwyno addysg yng ngwir ystyr y gair, oherwydd golyga addysg fwy na phasio arholiadau.

Y pryd hynny byddai drws yn arwain o'r tŷ i'r ysgol a phan y byddai B. O. yn mynd i'r tŷ o'r *class room* byddem yn anadlu yn rhwyddach – pan y byddai'n dychwelyd rhoddai y fath gnoc gyda'i ddwrn i'r drws i'w agor nes y byddai'n swnio fel ergyd o wn, a gwelech weithiau rai wedi crwydro allan o'u meinciau yn sŵn y gnoc fel pe wedi eu mesmereiddio oherwydd gwyddent beth oedd yn eu haros.

Ar ddesg B. O. bob amser byddai cwpan a *Rum* ynddi a byddai yn cymryd llwnc ohoni reit aml. Byddai yn galw'r dosbarth allan i ddarllen ac yn eu gosod yn gylch rownd y ddesg. Un diwrnod cafodd un o'r bechgyn wasgfa nes yr oedd ar ei hyd ar lawr. Rhedodd B. O. am y gwpan a gosododd hi wrth wefus y claf ond ni fynnai hwnnw wneud ymgais i yfed ohoni a meddai B. O., 'Mae'n rhaid cael mwy o siwgwr ynddo'. I ffwrdd ag ef fel mellten trwy'r drws i nôl y siwgwr ond pan ddaeth yn ei ôl 'roedd y gwpan yn wag. Methai â chael gwybod pwy oedd wedi ei yfed – pawb yn gwadu y naill ar ôl y llall.

Anghofiwyd y claf er ceisio dal y troseddwr a dyma'r dull a ddewisodd B. O. Rhoddodd fatsen yn llaw pob un o'r dosbarth a meddai wrthynt, 'Pwy bynnag sydd wedi yfed cynnwys y gwpan yna fe dania'r matsen yn ei law – daliwch eich dwylaw tu 'nôl,' meddai, a'i edrychiad bron â'n gyrru ni i gyd i ffit.

Yr oedd meinciau uchel y pryd hynny a haearn yn eu dal i fyny. Cyn hir 'roedd y dosbarth yn teimlo yn flinedig ac yr oedd un bachgen nad oedd yn hollol fel y lleill wedi mynd i bwyso ar un o'r meinciau ac wrth chwareu â'r fatsen fe'i tarawodd yn yr haearn nes y taniodd. Daliwyd y troseddwr yn ôl barn B. O. a chosbwyd ef yn drwm ond fe gosbwyd y di euog fel y gwyddai y dosbarth yn eithaf da.

Ond mae 'na un stori am ffawd un disgybl truan sy'n dangos fod gan B. O. ryw synnwyr hiwmor tra dieflig hefyd:

Cofiaf am dro arall yr oedd Benjamin Roberts – Ben Siop fel y'i gelwid, yn absennol o'r ysgol a phan ddigwyddai i rywun fod yn absennol gyrrid rhywun i'w gartref i gael gwybod y rheswm. Cafwyd ar ddeall mai dioddef oedd Ben oddiwrth llosg eira ac yn methu rhoi ei esgidiau am ei draed. Yna, anfonodd B. O. dri o fechgyn y dosbarth i'w nôl. 'Toedd dim i'w wneud ond i Ben druan stwffio ei draed i ryw hen sgidiau a dilyn y tri i'r ysgol dan hencian yn arw. Cynted ag y gwelodd B. O. eu bod wedi cyrraedd rhoddodd orchymyn i'r holl blant sefyll ar eu traed a dyma fo yn taro *See the conquering hero comes* a'r hen Ben yn hencian am ei ddesg a'r canu erbyn hyn wedi troi yn chwerthin.

Mae'n amlwg serch hynny nad oedd y bygythiadau a'r holl guro ddim yn atal y plant rhag manteisio ar unrhyw gyfle a ddeuai i dalu'n ôl iddo, yn enwedig os oeddan nhw'n meddwl ei bod yn ddigon diogel iddyn nhw wneud hynny:

Fe gedwid defaid cadw yn y ffermydd yn y gaeaf a byddai fferm Sychnant yn gwneud hynny, a chan nad oedd llawer o ffordd rhwng Sychnant a'r Ysgol byddai'r defaid yn torri drosodd i ardd B. O. a bwyta y cabaits a'r moron. Un diwrnod aeth B. O. ar eu hôl a daliodd hen fyharen fawr, un bur beryglus hefyd, ac fe'i llusgodd i mewn i ryw gwt a'i gau yno; yr oedd yn teimlo ei fod wedi gwneud gorchestwaith trwy hyn. Ar ôl hyn byddai'r bechgyn yn gweiddi 'Mê' ar ei ôl a byddai B. O. o'i go'n lân, a chosbai yn drwm am hyn, ond glynodd yr arferiad tra bu byw.

Wedi iddi nosi byddai yn mynd am dro trwy'r pentref, yn enwedig os byddai yn noson oleu leuad ac un noson ar y sgwâr rhoddodd rhywun fref – gwelodd yntau griw o fechgyn yn sefyll yn ymyl y siop. Rhedodd B. O. i'r siop er ceisio adnabod y rhai oedd yn gweiddi 'Mê', ond ofer fu ei ymgais.

Ond hon yn ddiamau yw'r stori sy'n cloriannu B. O. yn ei holl ogoniant:

Yn nhymor y gaeaf byddai B. O. yn cychwyn Ysgol Nos – ond byth yn ei darfod. Byddai llu o fechgyn yn cychwyn yn selog a B. O. yn ei afiaeth. Un noson yn ei ddarlith dywedodd mai'r gŵr oedd i reoli'r wraig bob amser ac er llwyddo i wneud hynny dylai roddi curfa iawn iddi yn achlysurol.

A dyma'r frawddeg nesaf:

Dywedid na fyddai ef a'i wraig yn byw ar y telerau goreu.

Mae'r hunangofiant hefyd yn crybwyll yn fyr ddiwydiant arall oedd yn Nhrefor yn fuan wedi dechreuad y Gwaith:

Rhywbryd tua 1860-70 adeiledid llongau hwyliau yn Nhrefor gan ŵr o'r enw Evan Thomas. 'Roedd yn byw yn Bronoleu ar ben ei hun. Adeiladai'r llongau ar lan y môr ac fe adeiladodd dŷ coed helaeth yno hefyd – gelwid hwn ar ôl hynny yn hen Dŷ Coed.

Yr oedd Evan Thomas yn cadw tua phump neu chwech o seiri i adeiladu'r llongau – dynion o Nefyn. Byddent yn aros yn y Tŷ Coed ar hyd yr wythnos a mynd gartref i fwrw'r Sul.

Adeiladodd dair o longau a byddai miri mawr yn Trefor ddiwrnod 'launchio'r' llong a byddai llawer o ddynion y chwarel yn mynd i lawr i lan y môr. Wedi 'launchio'r' llong byddai tug-boat o Lerpwl yn dod i'w nhôl. Ni osodai Evan Thomas masts na hwyliau arnynt; gwneid hynny yn Lerpwl. Byddai rhai o bobl Trefor yn mynd trosodd i Lerpwl ynddynt fel hyn. Clywais am hen chwaer, Mary Jones y Bwlcyn, a aeth felly a phlentyn bychan gyda hi.

Byddai canmol mawr ar longau Evan Thomas – llongau oeddynt yn cario tua dau gan tunnell. 'Seion Hill' oedd enw un ohonynt. Yr oedd gan yr Evan Thomas yma frawd yn cadw tafarn yn Nhyddyn Drain.

Mae'r hunangofiant yn mynd rhagddo i sôn am ddechreuad y Gwaith cyn canolbwyntio wedyn ar Eglwys Maesyneuadd. Roedd Yncl John a'r teulu i gyd yn Annibynwyr cadarn ac mae cryn dipyn o'r hunangofiant yn sôn am y Capel a'i weithgareddau a'i arweinwyr. Mae hefyd yn sôn am rai cymeriadau, fel Sion Owen, fferm Maesyneuadd:

Un o'r cymeriadau rhyfeddaf oedd Sion Owen Maesyneuadd. Yr oedd yn byw gyda ei chwaer Sydney Jones. Pan y byddai Sion Owen yn siarad byddai yn cychwyn y gair yn uchel ac yn gostwng ei lais wrth ddiweddu'r gair.

Nid yn aml y byddai Sion Owen a'r gweinidog ar delerau da.

Byddai Maesyneuadd yn gyrchfan bechgyn y fro bob gyda'r nos. Un o'r llanciau hyn oedd Aberyn neu dyna ei enw gan Sion – ni fedrai ei ddioddef am y byddai yn chwarae triciau ag ef.

Yr oedd pregethwr i fod i aros yn Maesyneuadd tros y Sul ond tua hanner nos Nos Sadwrn roedd curo mawr wrth y drws ond neb yn ateb. Toc dyma Sydney yn galw ar Sion ac yn dweud wrtho am agor i'r pregethwr. 'Nag ydi ddim peryg ei fod o yna,' meddai Sion, 'yr Aberyn ddiawl 'na sydd yna' – ac aeth ati i alw Aberyn yn bob enw anweddus a'r pregethwr yn gwrando o'r tu allan. Aeth y pregethwr mewn dychryn i dŷ un o'r diaconiaid a chafodd aros yno dros y nos.

Y mae yn Nhrefor dri addoldy wedi eu hadeiladu yn yr un cae, sef Capel yr Annibynwyr, Capel y Methodistiaid, a'r Eglwys. Evan Evans oedd perchennog y cae a dyma oedd dyfarniad Sion Owen: 'Teith neb byth i'r Nefoedd heb fynd drwy gae Evan Evans'.

Mae Tomi Meinar hefyd yn haeddu ei le, tasai dim ond am ei straeon amdano'i hun yn forwr ar long yn mynd o Lerpwl i Efrog Newydd, yn mynd i niwl trwchus ger Caergybi, a'r Capten yn dweud wrtho am gymryd y llyw am ei fod o'n gyfarwydd â Bae Ceredigion gan ei fod yn frodor o Drefor ac am fod y llong wedi'i thacio tuag yno. Pan gliriodd y niwl gwelwyd maharen ar flaen y llong, Tomi wedi llwyddo i fynd mor agos â hynny at y creigiau gan ddal i gadw'r llong yn ddiogel. A phan gyrhaeddwyd Efrog Newydd, nad oedd bryd hynny'n ddim ond un tŷ bychan to gwellt, y peth cyntaf a welodd Tomi drannoeth oedd dau lew yn gorwedd ar y mat. Neu beth am John Williams Tyddyn Coch, gyrrwr un o'r ddau gerbyd oedd yn rhedeg i Bwllheli a Chaernarfon ddwywaith yr wythnos, yn mynd â llwyth o ymwelwyr Saesneg i Bwllheli. Pan ddaethant i olwg y bae dyma nhw'n gweld y cychod a dyma ofyn i John Williams pam oedd hwyliau o liwiau gwahanol arnyn nhw. Ei eglurhad o oedd bod y cychod hwyliau gwynion yn dal penwaig gwynion a'r cychod hwyliau coch yn dal penwaig coch. Ond yn ei dro daeth John yn gystal Sais â hwythau:

Dro arall 'roedd tri o'i gyfeillion wedi mynd gydag ef i'r dre, ac yr oedd erbyn hyn yn canlyn rhyw saesnes oedd yn cadw café neu Temperance fel y'i gelwid y pryd hynny. 'Roedd John yn sâl eisiau iddynt fynd gydag ef i'w gweld ac wrth gwrs eisio iddynt ddod i ddeall fel yr oedd wedi dysgu Saesneg mor dda. Pan aethant i mewn yr oedd John yn hollol gartrefol yno, a chymerodd gadair i eistedd o flaen y tân. Dyma John yn datod ei esgidiau a meddai, *'My shoes are very cold, I'm going to take my feet off'*.

Mae'r hunangofiant yn difrifoli cyn y diwedd, ac mae'r bennod olaf fer yn werth ei dyfynnu:

Ystad y Sychnant

Perthyna i'r Ystad y ffermydd canlynol: Hendre Fawr, Cwm, Llwyn y Brig, Nant y Cwm, Tan y Bwlch, Uwchfotty, Caerfotty, Lleiniauhirion, Nant Bach, a Ty'n y Gors.

Clywais y stori y byddai gŵr o gyfeiriad Nefyn yn dod heibio'r Sychnant ar gefn caseg wen. Hoffodd merch y Sychnant y gaseg wen gymaint fel y trosglwyddodd yr ystad trosodd i'r gŵr o Nefyn am y gaseg wen. Yna y bu yn cael ei galw fel Ystad y Gaseg Wen.

Clywais adrodd hanesyn arall gan Robert Roberts (mab Lleiniauhirion) iddo fynd i'r Sychnant gyda'i Nain pan yn blentyn bychan a dyna lle 'roedd ei Nain a hen wraig y Sychnant yn siarad â'i gilydd o flaen y tân. Gafaelodd hen wraig y Sychnant mewn procer a churo'n ysgafn ar ddistyn coed oedd yn yr hen simdde fawr a meddai, 'Fydd yna ddim llawer o lwc yn y Sychnant tra fydd hwn yn y fan yma'. Ac adroddodd yr hanes fel y bu ar noson ystormus aeth y dynion allan i lan y môr gyda'u lanternau a llwyddasant i hudo llong i'r lan. Fe aeth yn ddrylliau a boddwyd y llongwyr a darn o'r llong honno oedd y distyn pren.

Ac fel yna mae hunangofiant Yncl John yn terfynu. Mae'n drueni braidd nad aeth o ymlaen hefo'i atgofion a rhoi i ni chwaneg o straeon fel hyn.

8   Robin Band

Rwyf am newid trywydd dipyn rŵan. Mae hunangofianwyr fel rheol yn dechrau'r bennod gyntaf hefo nhw'u hunain ond mae'n rhaid i mi gael bod yn wahanol.

Pwy ydw i? Robert William Williams yw fy enw llawn ac fe'm ganwyd yn Nhrefor ar 15 Mawrth 1929. Robin Band mae pawb bron yn fy ngalw ond i rai fu'n cydweithio â mi ac i'm ffrindiau – Bandar. Hugh oedd enw fy nhad ac fe'i ganwyd yntau yn Nhrefor. Hanai fy nhaid (tad fy nhad) o Benrhosgarnedd. Dangosodd fy nhad ei gartref i mi rywdro – rhyw dŷ bach wrth fynd i lawr yr allt am Borthaethwy. Roedd fy nain (mam fy nhad) yn hanu o'r Iwerddon. McGurk oedd ei chyfenw cyn priodi. Cafodd hi a'i chwaer eu gadael yn ddeuddeg oed i weithio yn ochrau Llanrug ond does gen i ddim cof am yr un ohonynt. Roedd gan fy nain ei hawl i enwogrwydd, oherwydd ganddi hi roedd un o'r mangls cyntaf yn Nhrefor. Leusa Mangl fuo hi wedyn. O'r ddau, mae'n well gen i gario band ar fy nghefn na mangl!

Roedd fy mam, Tryphena, yn enedigol o Lanaelhaearn. Ganwyd ei thad ym Mhenmaenmawr a'i mam yn Llanaelhaearn, yn un o deulu Beudy Lôn.

Tad a Mam Nanw ar y chwith, y ddau ddela welsoch chi rioed yn y canol, a Mam a Nhad ar y dde ar ryw ddiwrnod bach yn 1957.

Rwyf yn cofio ychydig am fy nhaid ond bu fy nain farw yn ifanc iawn pan nad oedd Mam ond rhyw dair neu bedair oed. Symudodd Mam i Benmaenmawr pan oedd tua deuddeg neu dair ar ddeg at ewyrth a modryb iddi oedd yn cadw gwesty. Roedd yn gweithio iddyn nhw ac yno y bu hi hyd nes iddi briodi hefo Nhad. Priodwyd y ddau yng Nghapel yr Annibynwyr, Seion, Conwy, sydd wedi cau ers blynyddoedd bellach.

Collais ddau gefnder yn Rhyfel 1939-1945, ac yn rhyfedd iawn roedd y ddau o'r un enw, Elfed. Elfed Edwards oedd y naill, unig blentyn Dic Edwards, brawd Mam. Er ei fod yn y fyddin, gweithio fel gynnwr ar y môr roedd o pan suddwyd ei long. Erbyn hynny roedd ei dad yn ŵr gweddw ers rhai blynyddoedd. Cofiaf yn iawn alw yn nhŷ Yncl Dic y pnawn hwnnw ac yntau'n dweud 'maen nhw wedi mynd â'r cwbwl oedd gen i'.

Y cefnder arall oedd Elfed Lewis o Benmaenmawr. Mae'n rhaid dweud fy mod yn ddigon diarth i Elfed oedd yn byw yn Nhrefor ond yn hollol wahanol hefo Elfed Penmaenmawr. Mab i chwaer Mam, Anti Lizzie, oedd Elfed. Anti Lizzie oedd y glenia ohonynt i gyd. Chafwyd dim gair am Elfed Penmaenmawr tan ar ôl y rhyfel. Byddai Anti Lizzie yn disgwyl y post bob dydd. Arferai fod yn ddynes digon nobl ond, erbyn y diwedd, roedd wedi poeni cymaint nes mynd yn fychan ac yn denau a bu farw cyn cael unrhyw newydd am Elfed. Ni wyddai neb ddim byd am yr hyn a ddigwyddodd tan ar ôl y rhyfel, pan ddaeth swyddog oedd wedi cael ei ddal yn garcharor tan ddiwedd y rhyfel adref. Roedd o wedi bod yn yr un lle ag Elfed, a dywedodd fod amryw wedi ceisio dianc ar ryw drên, ac Elfed yn eu plith. Ond daeth y Siapaneaid ar eu gwarthaf ac fe'u saethwyd i gyd. Trist oedd gweld pethau fel hyn yn digwydd. Cafodd Elfed fy mab ei enwi ar ôl Elfed Penmaenmawr.

Oherwydd cysylltiadau Penmaenmawr, roedd Saesneg yn dod yn hawdd i Mam. Bu'n cadw tŷ ymwelwyr yn Aelfryn, Trefor, a hi oedd un o'r rhai cyntaf i wneud hynny, mae'n siŵr. Roedd pobl Penmaenmawr yn eu rhoi eu hunain yn uwch eu statws na ni yn Nhrefor; roedd hynny i'w weld yn y Gwaith yn aml iawn. Roedd hynny yn nhoriad eu bogail, mae'n siŵr.

Roedd Mam yn un reit dda am ddweud ffortiwn hefo cardiau neu gwpan de. Mi fyddai rhyw dair neu bedair ohonynt yn cyfarfod yn nhŷ Anti Ffranses i ddweud ffortiwn wrth ei gilydd. Mi fyddai Anti Ffranses wedi sgwennu nodiadau bach ar ei chardiau hi er mwyn cofio, mae'n siŵr. Roedd calonnau yn golygu priodi; rhawiau – profedigaeth; diamwntiau – pres; clybiau – wel rhywbeth leciech chi ei ddweud. Welais i ddim byd yn dod yn wir o'r cyfarfodydd yma ond roeddent yn cael llawer o hwyl.

Gweithio yn y Gwaith fu Nhad erioed ar wahân i'r cyfnodau pan oedd y Gwaith ynghau. Yr adegau hynny, âi i waith Tanygraig neu Dyddyn Hywel gerllaw Trefor a thro arall i'r Alban i'r gweithfeydd cerrig yno. Bu yn y Rhyfel Byd Cyntaf ac yn yr Aifft y bu am y rhan fwyaf o'r amser. Roedd yn eithaf militaraidd ei ffordd drwy ei oes, yn syth fel brwynen ac yn brydlon ymhob man a phethau felly. Doedd dim llawer o hel dail i'w ganlyn ac roedd yn siarad yn reit blaen. Roedd yn eithaf setsiwr ac aeth wedyn at y gwaith o dorri'r cerrig mawr hefo'i bardnar, John Jones neu Jac Planwydd a oedd yn fengach na fo, ond bu cydweithio da iawn rhyngddynt. Clywais amryw yn dweud fod Nhad yn un o'r goreuon am ddarganfod ffordd y garreg, tasg nad oedd mor hawdd â hynny weithiau. Roedd yn dipyn o arwr gan y teulu, sef ei dri brawd a'i ddwy chwaer, a hynny ar gyfrif tri pheth. Y fo oedd yr unig un o'r teulu i fod yn y rhyfel cyntaf. Roedd yn aelod o Fand Trefor, a bu'n arweinydd am flynyddoedd. Dyna sut y cafodd yr enw Hugh Band. Ond yr hyn oedd yn codi ei statws ymhlith y teulu yn fwy nag unrhyw beth arall yw'r ffaith iddo fod yn organydd yng Nghapel Maesyneuadd am flynyddoedd, ac yn ôl y sôn, yn un pur dda hefyd. Roedd y teulu i gyd yn Annibynwyr mawr iawn. Cafodd wersi ar yr organ gan John Williams, arweinydd Côr Mawr Caernarfon ac organydd Capel Moriah (MC). Byddai'n mynd ar ei feic i Gaernarfon, taith o dair milltir ar ddeg un ffordd, i gael gwersi ar ddydd Sadwrn ac mae hynny'n dweud llawer am ei ymroddiad. Prynodd organ bach neu harmonium fel y'i galwai gan ryw ddyn bach oedd yn arfer dod o amgylch y Gwaith cyn y Rhyfel Byd Cyntaf i werthu pob math o bethau ac wedyn yn dod i nôl y pres bob mis. Fel Jew Bach y cyfeiriai Nhad ato bob amser.

Er fod Nhad dipyn yn filitaraidd yn ei ffordd, gallai fod yn ddigon difater hefyd weithiau. Roedd ganddo ddwylo reit fawr ac i roi glo ar y tân, beth yn well i'w godi o'r bwced na'i ddwylo? Ond un peth yw defnyddio'ch dwylo i godi glo, peth arall yw sychu'ch dwylo ar din eich trowsus wedyn fel y gwnâi Nhad! Roedd Mam yn wallgof hefo fo. Rhywbeth arall y byddai'n hoffi ei wneud oedd yfed te o'i soser. Roedd hynny'n iawn adref ond mewn caffi yn Lerpwl, dim diolch. Roeddem yn aros yno unwaith hefo cyfnither i mi ac aethom i gyd i gaffi i gael bwyd. Cyrhaeddodd y te a dyma Mam yn tywallt cwpanaid i bawb. Yn naturiol, dyma Nhad yn tywallt ei de o i'r soser ond sylwodd Mam ddim tan nes roedd o yn codi'i soser at ei geg. Dyma roi cic iddo o dan y bwrdd nes aeth y te dros bob man a 'nghyfnither a finnau yn chwerthin. 'Be ddiawl wyt ti'n drio'i wneud Tryphena?' oedd yr ymateb. Amseru digon sâl gan Mam y diwrnod hwnnw!

Fel roeddwn yn sôn, un o Benmaenmawr oedd Mam, ac roedd dipyn o steil y lle ganddi hefyd. Cafodd gôt ffwr ar ôl un o'i modrybedd yno oedd wedi marw. Gan mai dynes fechan gron oedd Mam yn ei chanol oed, doedd y gôt ffwr ddim yn gweddu iddi o gwbl. A dweud y gwir yn hollol blaen, roedd yn edrych yn uffernol ynddi a Nhad a finnau yn casáu ei gweld yn ei gwisgo. Roedd yn ei gwisgo o gwmpas y tŷ weithiau ac mae'n siŵr ei bod yn gweld ei hun yn edrych yn dda ynddi.

Un bore Gwener, dyma Mam yn gwisgo'r gôt i fynd i'r Stôr i nôl neges. Yr alwad gyntaf oedd yn y Stôr Gig hefo William Jones, y bwtsiar, a oedd yn digwydd gwybod hanes y gôt. Roedd y siop yn llawn o bobol a phan welodd o Mam yn cerdded i mewn dyma William Jones yn dweud wrthi, 'Gwisgo cnu dafad farw heddiw, Tryphena'. Aeth y geiriau fel saeth i galon Mam a dyma hi adref gan ladd ar Jôs Bwtsiar a dweud na wnâi hi byth wisgo'r 'blydi gôt 'na' eto. Roedd Nhad a finnau yn diolch dan ein gwynt i'r bwtsiar am ei gymwynas. Un waith y gwisgwyd y gôt wedyn a hynny ymhen blynyddoedd gan Guto Ffowc Glyn Orme Villa, ar noson Tân Gwyllt.

Roedd Nhad yn gerddorol iawn a diddordeb mawr ganddo yn y maes yma yn gyffredinol ac mewn bandiau pres a chorau meibion yn fwyaf arbennig. Yr adeg honno pan oedd y Cyp Ffeinal ar y teledu, byddai bandiau rhyw gatrawd filwrol neu'i gilydd yn gorymdeithio ar hyd y cae pan ddeuai'n hanner amser. A dyna pryd y dôi Nhad i'r tŷ, dim ond i weld y bandiau, ac âi allan yn ei ôl wedyn. Doedd ganddo ddim diddordeb yn y bêl-droed er ei fod yn treulio cryn amser yn gwneud y pyllau bob nos Fawrth, yn y practis band, yn sgwrsio hefo Daniel Bevan am y 3x a'r 4 awês a'r bancars gorau.

Yn ystod y cyfnod cyn yr ail Ryfel Byd, byddai bron bob aelod o'r Band yn gweithio yn y Gwaith, a rhai troeon deuai cais am wasanaeth y Band i swyddfa'r Gwaith. Byddai pob aelod yn cael mynd i'r cyhoeddiad ond yn colli cyflog, wrth gwrs. Byddai'r Band yn codi tâl am y cyhoeddiad ac yn ei rannu rhwng yr aelodau i'w digolledu. Ni fu'r trefniant hwn yn bosib ar ôl y rhyfel gan nad oedd pawb o'r aelodau yn gweithio yn y Gwaith erbyn hynny.

Roedd y Band yn troi allan hogiau a oedd yn ddefnyddiol yn eu cymuned, gyda rhai'n dod yn organyddion ac arweinyddion y canu yn y gwahanol gapeli. Roedd hyn yn digwydd o bosibl oherwydd fod yr arweinydd ei hun yn organydd ac wedi cychwyn llawer un ar yr un llwybr. Bu Nhad hefyd yn rhannol gyfrifol am sefydlu cerddorfa fach ym Maesyneuadd i gyfeilio i'r canu yn y cyfnod pan oedd Ben Roberts Glandŵr yn arweinydd y gân yno. Y Ben yma oedd y creadur truan y soniodd Yncl John amdano'n cael ei lusgo yn llawn llosg eira i'r ysgol. Pwy a ŵyr, ella mai datganiad B. O. o *See the conquering hero comes* y diwrnod hwnnw a daniodd ynddo ddiddordeb mewn cerddoriaeth.

Byddai amryw yn profi yn eu tro arferiad Nhad o ddweud ei feddwl yn blaen. Un oedd Wilfred, oedd yn chwarae yn adran bas y Band. Wrth chwarae, byddai Wilf yn dueddol o anwybyddu'r hyn oedd ar y copi o'i flaen ac yn cyfansoddi'n braf. Byddai Nhad yn ei geryddu'n ddigon tyner gan eu bod yn dipyn o ffrindiau. Y rheswm a roddai Wilf yn ddi-feth fyddai dolur ar ei geg, neu ddant poenus, a fedrai Nhad wneud dim ond ysgwyd ei ben. Un noson, dyma Wilf i'r ymarfer a hysbysu Nhad na allai chwarae o gwbl y noson honno gan ddangos dolur annwyd reit ddrwg ar ei wefus. 'Wel diolch i Dduw,' oedd ymateb cwta Nhad a phawb yn torri allan i chwerthin gan gynnwys Wilf ei hun.

Mi ymunais i â'r Band am y tro cyntaf yn 1939 heb fedru chwythu nodyn. Mae'n siŵr y buasai rhai'n dweud mai nodau drwg yr oeddwn yn eu chwythu wedyn hefyd. Ond fel unig fab yr arweinydd, mae'n debyg bod disgwyl i mi ymuno â'r Band. Ar ôl cyfnod y rhyfel, roedd y Band yn ddigon ansefydlog. Trosglwyddodd Nhad yr awenau i rywun fengach ond aeth yn ôl i ailgodi'r Band tua thair gwaith pan fyddai'r arweinydd yn rhoi'r gorau iddi.

Pan ailddechreuodd y Band yn 1966, Geraint Jones a alwodd yr aelodau at ei gilydd, sef y rhai oedd wedi bod ym Mand Gwilym Owen ychydig flynyddoedd ynghynt, yn ogystal â rhai eraill. Ymunodd Ceiri Williams, Llwyn yr Aethnen, a minnau yn yr ail bractis a buom yn aelodau am flynyddoedd. Bu Ceiri yn weithgar iawn yn y Band ac yn Ysgrifennydd am flynyddoedd hefyd. Evan Phillip Hughes oedd yr arweinydd ar y pryd ac ymhen sbel, cymerodd Geraint yr awenau a bu'n llwyddiannus iawn. Cafwyd dynion proffesiynol o Loegr i arwain mewn cystadlaethau ond, heb os nac onibai, y dyn a wnaeth wahaniaeth i'r Band oedd George Thompson, cyn-arweinydd Band enwog Grimethorpe Colliery. Bu cydweithio ardderchog rhwng George Thompson a Geraint a chafwyd llawer iawn o lwyddiant gan ddod â Band Trefor i sylw llawer ehangach na'i fro. Ar y corn mawr (BBb) y bûm i ar hyd yr amser; roeddwn yn iawn i'w gario fo, mae'n siŵr. Wrth fy ochr am y rhan fwyaf o'r amser roedd Dêf Tir Du, ac os oeddwn i yn cario'r corn mawr, roedd

Dêf yn fy nghario i hefyd. Roedd o'n chwaraewr da iawn meddant i mi.

Ac o sôn am Dêf, a mynd yn ôl am chwinciad at ei gymydog, Twm Gwydir Bach, a'i gerdd i'r Côr, cafodd Dêf hefyd ac un arall o'i deulu le anrhydeddus ynddi:

Bu'r côr yn dra ffodus nad oedd Gwilym Plas
I mewn yn y neuadd yn clywed y bas,
Oherwydd daeth anffawd i Dêf, mab Tir Du
Wrth roi'r nodyn isa, i'w wddf fe aeth pry;
Ac wrth geisio'i glirio rhoes gebyst o nad
A throes yn soprano yr un fath â'i dad.

Ac o sôn eto fyth am Dêf Tir Du, bu cysylltiad pur glos rhwng ein teulu ni a theulu Tir Du erioed. Byddwn yn treulio dipyn o amser yno a phlant Tir Du, sef Olga, Amy a Glyn tad Dêf, yn galw acw yn Aelfryn. Roedd Glyn ryw dair neu bedair blynedd yn hŷn na fi a byddai Olga yn mynd â fi am dro yn y goits lawer gwaith, meddai Mam. Yn Nhir Du y byddem yn cael llefrith gan daid a nain Dêf, sef Dafydd a Jane Roberts, neu Jini gan bawb. Dau glên a charedig iawn oeddan nhw. Pan oeddwn yn hogyn bach, cefais fy anfon i Tir Du i nôl llefrith. Y tro hwnnw roedd Mam yn fy ngweld yn hir iawn yn dod yn ôl a daeth i chwilio amdanaf. Cawsant afael arnaf yn y gwely hefo Glyn.

Rhyw fymryn yn ddiweddarch. Berta a Tomos hefo Nain a
Bob ym mhriodas Lusa a Guto Dafydd yn Nant Gwrtheyrn

Roedd y frech ieir arno a minnau'n meddwl y buaswn yn ei chael oddi wrtho ac yn cael aros adref o'r ysgol. Doeddwn i ddim yn llwyddianus a dyna ddangos faint oeddwn yn hoffi'r ysgol.

Pan oeddwn yn fach, byddwn wrth fy modd yn powlio teiar neu gylch bachyn a bu gennyf sgwter hefyd. Cofiaf bowlio teiar i dŷ Anti Mary, chwaer Mam, a oedd yn byw yn Aberdesach. Daethom adref ar y Moto Coch – Mam, fi a'r teiar! Byddai hynny'n amhosib heddiw wrth reswm oherwydd yr holl drafnidiaeth sydd ar y ffordd.

Ond yn ôl at y Band. Roedd Elfed, y mab, ar yr EEb Bas, neu'r Tiwba, ac yn chwaraewr medrus iawn, wedi'i ddysgu'n bennaf gan Geraint Jones. Ac roedd Roberta, merch Elfed yn aelod o'r Band hefyd. Mewn cyngerdd yn Neuadd Dwyfor un tro, roedd y tri ohonom yn chwarae yn yr adran bas a mentraf ddweud mai dyma'r tro cyntaf erioed i dair cenhedlaeth fod hefo'i gilydd ar lwyfan hefo Band Trefor. Go brin ei fod yn digwydd yn aml mewn unrhyw fand.

Hwn, o dan arweiniad Geraint Jones, oedd y Band mwyaf llwyddiannus a fu yn Nhrefor erioed. Dydi fiw i mi ddweud y Band gorau rhag ofn fod Mam neu Yncl Dic yn gwrando yn rhywle! Brawd Nhad oedd Yncl Dic a dim un Band yn ei olwg yn debyg i Fand Huwcyn. Roedd ef ei hun yn chwaraewr BBb da iawn. Wedi i mi fod yn ymarfer ar y corn mawr, byddai Nhad yn dweud yn ddi-feth 'Tôn dda oedd gan Dic 'y mrawd achan'. Mewn gair, gwahanol i chdi – digalon ynte! Dydi Nanw'r wraig ddim llawer gwell; mi ddywedodd wrth rywun unwaith ei bod yn meddwl mai buwch oedd yn brefu yn y cae pan oeddwn i yn ymarfer! Mae'n dda mod i wedi gweithio yn y Gwaith ac yn gallu dal y gwawd i gyd. Roeddech yn magu croen eliffant yn y fan honno.

Bu amryw o ddigwyddiadau digon doniol yn y Band o dro i dro. Mi fyddwn i bob amser yn cario powdwr i'w roi ar fy nannedd gosod i'w dal yn eu lle yn ogystal â photel fach o olew ar gyfer falfiau'r corn. Cyn mynd ar y llwyfan i gystadlu yn Llandudno un tro, wrth sgwrsio hefo'r criw, dyma fi'n troi oddi wrthynt i roi powdwr ar fy nannedd a'u rhoi'n ôl yn fy ngheg. Ond y tro hwnnw, roeddwn wedi estyn y botel anghywir ac wedi rhoi olew falfiau ar fy nannedd! Sôn am stŵr! Prun bynnag am hynny, enillodd y Band a chael canmoliaeth am chwarae slic ac esmwyth – yr olew wedi bod o help!

Mae pob Band a fu yn Nhrefor wedi bod o fantais i'r pentref ac i amryw o'r aelodau. Mae'n siŵr mai Band y cyfnodau diweddar sydd wedi codi'r offerynwyr gorau, gyda rhai ohonynt wedi mynd ymlaen i wneud bywoliaeth ohoni ac eraill yn arweinyddion pur lwyddiannus ar fandiau eraill.

Rwyf wedi sôn yn barod am Yncl Dic, brawd fy Nhad. Fo oedd gŵr Anti Ffranses ac os bu cymeriad ffraeth, anystyriol weithiau, Anti Ffranses oedd honno. Roedd ganddi frawd yn byw yn Acrefair a hwnnw'n ŵr gweddw. Roedd wedi byw yn ddigon blêr, ac aeth yn wael. Dywedodd y Doctor lleol nad oedd llawer o obaith iddo. Roedd polisi insiwrans go sylweddol ar ei fywyd, ac fe gymerodd Anti Ffranses ef i'w chartref gan feddwl na fyddai fyw yn hir. Ond hefo bwyd maethlon Anti Ffranses, a oedd yn gogyddes ardderchog, mi wellodd 'rhen Robert yn bur dda, yn groes i bob bwriad a gobaith. Mi gafodd ryw bwl bach o salwch wedyn ac mi ddaru wneud llanast yn y llofft a bu raid i Ffranses llnau'r llanast hefo pwcad a mop. Wrth iddi wagio'r budreddi i'r sinc yn y cefn, clywodd rhywun hi'n dweud
   'Hwi angau, tyrd a gwna dy waith,
   A dos â'r diawl i ben ei daith.'
   Dro arall, roedd Robert yn cychwyn am y dre wedi gwisgo ei legins lledr a Ffranses yn dod o'r Stôr o dan ei baich o neges. Dyma hi'n gofyn iddo i ble roedd o'n mynd. 'I chwilio am wraig,' meddai yntau. 'Mi fysa'n well i ti fynd i chwilio am goed arch o beth diawledig,' oedd yr ateb a gafodd gan Ffranses, yn amlwg yn cael ei chorddi gan bres siwrans. Dynes go arw oedd hi.

Mêts y ddyddiau rhydd. Yn y cefn: Russell Bott, John Becws.
Y tu blaen: Elwyn Owen, Fi, Edgar Thomas.

Cymeriad oedd yn byw yn yr un stryd â ni oedd Thomas Owen neu, i bawb yn Nhrefor, Tomi Bach Mawr. Daeth yr enw oherwydd bod ei fam yn ei alw'n Tomi Bach drwy'r adeg, er gwaethaf ei faintioli. Roedd yn greadur pryfoclyd iawn a byddai wrth ei fodd yn dweud rhyw gelwyddau bach i wthio'r cwch i'r dŵr a chwarae triciau i gael rhyw fymryn o hwyl. Roedd yn byw ym Morawel hefo'i fodryb a'i ewyrth, Margiad a Robat Jones, a'i frawd Robert Lewis. Roedd o a'i frawd wedi cyrraedd oed hen lanciau ond priododd Tomi yn ddiweddarach. Pan oeddent yn byw adref, roedd Tomi a Robert Lewis yn rhannu llofft yn ogystal â'r pot piso. Un noson, cyn mynd i'w wely, rhoddodd Tomi ddos o'r Andrews yn y pot a phan gododd Robert Lewis i biso yn ystod y nos, cododd ffroth mawr yn y pot. Styrbiodd Robert yn go arw gan feddwl fod rhyw gaṃ-hwyl arno!

Roeddwn yn dweud fod Tomi wrth ei fodd yn gyrru'r cwch i'r dŵr. Wel, un tro, fe'i gyrrodd i ddyfroedd dyfnion iawn. Roedd Tomi yn gweithio yn yr un bonc â Nhad ac yr oeddem yn eithaf ffrindiau hefo nhw fel teulu. Y drws nesaf i ni, ym Morannedd, roedd Robert a Meri Griffith yn byw. Roeddent yn bobl glên iawn a Robert Griffith yn ddyn bore ac yn brydlon yn y Gwaith bob amser. Ar y bore arbennig yma, wrth i Tomi a Nhad gydgerdded am y bonc, dyma Tomi yn gofyn i Nhad a oedd wedi clywed am rhen Bob Griffith. 'Naddo, pam?' 'Chlywist ti ddim?' meddai Tomi, 'mae o wedi marw neithiwr.' Dywedodd Nhad wrtho ei fod yn beth rhyfedd na fuasai Meri wedi cnocio arnom ni. 'O,' meddai Tomi, 'doedd hi ddim isio styrbio Robin a fynta yn fach.' Roedd Nhad, oedd yn adnabod Tomi cystal â neb, yn bur amheus o'r stori. Felly, soniodd o ddim wrth neb er ei fod yn meddwl na fuasai Tomi, hyd yn oed, yn mynd mor bell â hyn i gael hwyl. Ond, wrth i Tomi sôn wrth Nhad, roedd rhai eraill wedi clywed a dyna'n hollol roedd arno ei eisiau. Aeth y stori i fyny i bonc arall ac i glustiau brawd Bob Griffith a dyma hwnnw'n cythru am ei dun bwyd ac yn dod i lawr ar y wagen gyntaf bosibl. Pan oedd yn mynd i lawr am Bonc Isa, pwy oedd yn dod i fyny ar y wagen arall i'w gyfarfod ond Bob Griffith; roedd wedi cysgu'n hwyr, rhywbeth anarferol iawn yn ei hanes. Roedd Tomi wedi bod yn ddigon craff i sylwi nad oedd golau yn nhŷ Bob Griffith y bore hwnnw. Ni fu llawer o Gymraeg rhyngddynt ar ôl hyn ond eto doedd Tomi yn malio dim, dim ond chwerthin.

Byddai Tomi'n edliw yn barhaus i mi 'mod i wedi achwyn amdano ac mai hen geg fawr oeddwn. Y rheswm am hyn oedd digwyddiad ar wyliau'r haf pan oeddwn i tua pump neu chwech oed. Aethai Nhad a Mam, Tomi a minnau hefo'r Moto Coch i Lanwnda a chael trên oddi yno i Gaernarfon. Wedi mynd yn ôl i'r ysgol ym mis Medi, gofynnodd yr athrawes i ni beth oeddem wedi bod yn ei wneud yn ystod y gwyliau. Adroddais innau hanes y daith ac fel roedd Nhad a Tomi, i ddisgwyl amser y trên yn Llanwnda, wedi mynd i mewn i ryw dŷ mawr gwyn ac enw mawr uwchben y drws ond 'mod i a Mam wedi eistedd ar y fainc y tu allan. Mae'r tŷ mawr gwyn yn dal yn Llanwnda ond fel tŷ preifat bellach ac mae'r trên wedi hen fynd.

Un hirben oedd Tomi ato'i hun. Ar un adeg bu ef a'i wraig yn byw yn Llwyn y Brig, un o'r tyddynnod ar lethrau'r Eifl. Roedd yn lle digon anghysbell a chawsant dŷ yn Lime Street ymhen amser. Daeth dydd y mudo a chafwyd un o lorris Jim i gludo'r dodrefn i lawr ac roedd yn rhaid mynd i fyny drwy Lanaelhaearn a heibio i Merbwll a Hendre Fawr i gyrraedd Llwyn y Brig. Dic Pencae oedd yr helpar ac wrth gychwyn o'r garej cynigiodd fynd i drwmbal y lorri i eistedd gan ei fod dipyn fengach na Tomi. 'Dim o gwbl,' meddai Tomi, 'fi sy'n cael help gin ti ac mi fysa'n beth anghwrtais iawn i mi beidio mynd i'r trwmbal.' Ac felly y bu, a gadawyd Dic druan i agor hanner dwsin o giatiau ar y ffordd a Tomi'n chwerthin yn braf yn y trwmbal.

Mi fu Tomi'n gweithio yng ngwaith Tangraig, y chwarel sy'n wynebu'r môr wrth i chi ddod i fyny'r Lôn Newydd o Drefor. Malu cerrig oedd o, ac mewn bargen wael ofnadwy a doedd gorfod gweithio'n galed i wneud rhyw geiniog ddim wrth fodd ei galon. Fel roedd hi'n digwydd, roedd ei ewythr, Griffith Williams Capas Lwyd, oedd yn greadur digon nerfus, mewn bargen dda iawn. Un amser cinio mi osododd Tomi dalp o garreg fawr ym margen Griffith i ymddangos fel petai hi wedi disgyn o'r graig uwchben. Pan aeth Griffith yn ôl at ei waith a gweld y garreg aeth i styrbans, gan gredu ei fod wedi cael dihangfa gyfyng a galwodd ar rai cyfagos i weld y garreg. Pwy ddaeth heibio pan oedd pawb yn edrych i fyny yn bryderus ar y graig ond Tomi, a dyma fo'n cynnig ffeirio bargen hefo'i ewythr am weddill y pnawn. Dotiai Griffith ac amryw eraill at garedigrwydd ei nai a chafodd Tomi bnawn proffidiol iawn. Serch fod rhywun wedi gweld y cwbl ac i'r stori ddod allan yn ddiweddarach, ddaru hynny ddim mennu dim ar Tomi, oedd yn gwenu'n braf drwy'r cwbl.

Roeddwn yn sôn fy mod i ryw raddau wedi cael fy ngorfodi i ymuno â'r Band. Ond un peth na fu'n rhaid i neb ei wneud oedd fy ngorfodi i fynd ar gae pêl-droed. Roeddwn wrth fy modd hefo'r gêm ac yn gwylio tîm Trefor yn gyson pan oeddwn yn blentyn yn ystod y blynyddoedd cyn y rhyfel. Cofiaf y gêm gyntaf ar y cae ar ôl y rhyfel; gêm gyfeillgar yn erbyn tîm o Scots Gârds. Rhyw un ar bymtheg oed oeddwn i ac yn cael chwarae yn y gêm yma gan fod y gôlgeidwad arferol, Selwyn Thomas, a oedd newydd ddod adref o'r Llynges ac a oedd yn gôlgeidwad reit dda hefyd, ar ei wyliau yn Lerpwl hefo'i frawd. Aeth criw ohonom ati i ffurfio tîm ieuenctid yn Nhrefor ar ôl y rhyfel a'i enwi'n Trefor Terriers. Hogiau lleol oedd y rhan fwyaf o'r tîm a Russell Bott, chwaraewr medrus iawn, oedd y capten. Chwaraewyr eraill oedd Edgar Thomas, Joe Cullen a William Arthur Evans i enwi dim ond rhai ac, wrth gwrs, fy ffrind pennaf, Elwyn Owen. Bu Elwyn farw yn rhyw ddeugain oed ar ôl gwaeledd hir a ddioddefodd yn eithriadol o ddewr. Yn amlwg, roedd hynny'n golled fawr i'w wraig Nancy a'r plant.

Doedd Orig Williams ddim ynddi hefo Elwyn. Nid oedd yn chwaraewr eithriadol o dda, ond roedd ganddo galon fel llew a chan amlaf byddai'r tîm arall ryw un yn llai yn darfod. Ni chaniateid sybs yr adeg honno.

Daeth hogyn o Lanaelhaearn atom i chwarae a phâr o esgidiau newydd ganddo. Doedd hynny ddim yn arwydd da bob tro, na'r tro yma chwaith oherwydd roedd yr hogyn yn methu eu defnyddio o gwbl i'w iawn bwrpas. Toc, mi frifodd ac roedd yn gorwedd ar y cae a dyma finnau yn gweiddi ar Elwyn i fynd ato. Yr ateb a gefais oedd 'gad i'r diawl lle mae o, dydi o ddim gwerth 'i godi!'

Bûm yn chwarae hefo tîm Trefor yn Nhanygrisiau mewn gêm cwpan ieuenctid. Roeddem wedi chwarae y Sadwrn cynt yn Nhrefor a'r sgôr yn gyfartal; fi oedd y gôlgeidwad ac roeddwn wedi rhoi cyfrif da ohonof fy hun y pnawn hwnnw ac yn dipyn o lanc. Ond wrth ailchwarae yn Nhanygrisiau, dyma golli o tua 6-2. Roedd hogyn tua deg i ddeuddeg oed yn sefyll y tu ôl i'r gôl a dyma fo'n gofyn i mi pwy oedd yn y gôl i Drefor yr wythnos cynt. A minnau'n llanc i gyd yn dweud mai fi oedd. 'Paid â deud clwydda'r diawl, mi oedd fy mrawd yn dweud bod hwnnw'n un da ofnadwy,' oedd yr ateb a gefais. Dyna gwymp i lanc o goli!

Chwaraeais amryw o gemau i'r tîm cyntaf ond pan gefais ddamwain yn ddeunaw oed, dyna ddiwedd am byth ar chwarae pêl-droed. Mae'n golygu hefyd fod gennyf un peth yn gyffredin hefo Ifas y Tryc, sef fy handiciap. Prynhawn Sadwrn tua mis Hydref 1947 oedd hi a minnau'n chwarae yn y gôl ar gae ffwtbol Trefor. Rhedais allan i ddal y bêl a'i chicio ond wrth droi'n ôl am y gôl, aeth fy nhroed i dwll yn y cae. Yn hytrach na bod y goes i gyd wedi troi, y ben-glin gafodd y straen. Hynny yw, trodd fy nghorff i gyd ar wahân

Tîm Cyntaf Trefor yn dathlu ar ôl ennill Cwpan Te&GWU ym Mehefin 2004. Elfed ydi'r trydydd o'r chwith yn y rhes gefn, yn dangos y botel yn ei law.

i'm coes dde o dan y ben-glin. Teimlwn y bellen yn troi i'r ochor i gyd a rhoddais floedd mewn andros o boen a chariwyd fi i'r hen Hyt i gael fy nhrin gan y dyn cymorth cyntaf, Alex McClement. Ymhen ychydig, roeddwn yn teimlo'n well a phenderfynais fynd yn ôl i chwarae, er i Alex grefu arnaf i beidio â mynd. Wedi i mi fod yn ôl am ychydig, daeth pêl uchel i gyfeiriad y gôl a neidais i fyny i'w harbed. Ond wrth i mi ddisgyn yn ôl, brifais fy mhenglin am yr ail dro a dyna ddiwedd ar chwarae pêl-droed am byth, er fod y diddordeb yn y gêm wedi parhau ar hyd y blynyddoedd. Felly, fu dim rhaid i mi ddewis rhwng y Band a phêl-droed ond mae'n rhaid i mi gyfaddef, y bêl-droed fyddai hi tasai'r dewis wedi bod.

Wrth i mi gael fy nghario o'r cae y tro cyntaf, gwelwn Nhad yn cyrraedd; roedd hynny'n beth rhyfedd iawn gan na fyddai byth yn dod i weld gêm. Y fo aeth â fi i weld y Doctor i Lanaelhaearn gyda'r nos, gan hanner fy nghario. Gyrrwyd fi i Fangor y dydd Llun canlynol a gwelwyd fy mod wedi malu asgwrn yn y ben-glin yn y ddamwain. Bu'n rhaid i mi fynd i Ysbyty C & A, Bangor y flwyddyn wedyn i gael triniaeth ar fy mhen-glin. Roedd yr ysbyty hwn ar safle siop Morrisons yn Mangor Uchaf. Drannoeth y driniaeth, dyma nyrs ataf a gofyn yn Saesneg, *'have you passed Irene today?'* *'No,'* atebais, *'I haven't seen her today.'* Aeth at nyrs Gymraeg a chafodd y ddwy hwyl ofnadwy; camddeall Irene am *'urine'* wnes i! Doeddwn i erioed wedi clywed

Hefo cydweithwyr yn Ferodo. Dw i ar y dde yn y rhes gefn.

y gair o'r blaen. Roedd fy Saesneg yn ddigon ffadin yr adeg honno a dydio fawr gwell heddiw chwaith.

Roeddwn yn dal i gael trafferth gyda'm pen-glin, oherwydd roedd yn rhoi odanaf o hyd ac o hyd, a gyrrodd Dr Kiff fi i Fanceinion i weld arbenigwr, a'r dyn hwnnw ddywedodd wrthyf beth oedd y broblem. Roeddwn wedi rhwygo'r gewyn croesffurf (y cruciate ligament, a siarad yn feddygol neis a phwysig), a'r adeg honno nid oedd modd ei drwsio. Erbyn heddiw, maent yn medru gwella'r math yma o anafiadau. Gwnaeth yr arbenigwr declyn i ddal y ben-glin yn ei lle ond roedd yn beth eithriadol o boenus i'w wisgo ac yn anhwylus wrth weithio. Ymhen tua dwy flynedd, penderfynais fynd i gael triniaeth gan yr abenigwr i gloi'r ben-glin. Er fy mod yn hencian dipyn, nid wyf wedi difaru dim. Rwyf wedi gallu cario ymlaen yn hollol normal mewn gwaith a phopeth arall, ar wahân i'r bêl-droed.

Tua 1952 yr euthum i Ysbyty ym Manceinion i gael y driniaeth gan deithio yno ar y trên yng nghwmni fy ffrind Elwyn. Roeddem yn aros noson yn nhŷ modryb iddo a minnau'n gweld yr arbenigwr drannoeth a mynd i'r ysbyty am driniaeth drennydd. Roeddwn yn ward y dynion a'r rhan fwyaf o'r nyrsus yn ddynion. Bûm yno am tua dau fis i gyd, a chefais fy nhrin yn ardderchog a phawb y tu hwnt o garedig wrthyf.

Carreg fedd David Glyn ym mynwent Bayeux yn Normandi.

Un bore, dyma un o'r gweinyddwyr yr oeddwn yn eithaf cyfeillgar ag ef yn dod ataf i ddweud fod yr hen fachgen oedd yn y gwely dros y ffordd wedi dod i mewn yn ystod y nos â golwg ofnadwy arno. Nid oedd neb yn ei ddeall gan ei fod yn siarad iaith hollol ddieithr. Roedd rhai yn y ward yn deall Almaeneg a Ffrangeg ond nid oedd neb yn gwybod pa iaith oedd gan hwn. Rywdro yn ystod y bore, clywn yr hen fachgen yn mwydro hefo fo'i hun ac roeddwn yn siŵr ei fod yn dweud Mam Bach bob yn hyn a hyn. Dywedais wrth y nyrs fy mod yn siŵr mai Cymro oedd o. Roedd y nyrs yn fy amau ond dywedais wrtho pe bai'n nôl cadair olwyn a'm powlio draw at y gwely y byddwn yn ei holi. Dyma fynd â mi draw ato, a dechreuais siarad Cymraeg hefo fo. Atebodd fi'n ôl yn Gymraeg, er ei bod braidd yn fratiog. Cymro o ochrau Fflint oedd o ac wedi gadael cartref yn un ar bymtheg oed i weithio ar y dociau ym Manceinion. Roedd tua phedwar ugain oed erbyn hyn ac wedi byw bywyd digon blêr medda fo, ond âi ar ei lw na siaradodd air o Gymraeg ers y diwrnod y gadawodd Gymru tan y diwrnod hwnnw. Cefais aml sgwrs hefo fo wedyn ond mi aeth oddi yno ymhen ychydig ddiwrnodau a'r Gymraeg yn dal yn ddwfn yn rhywle yn ei is-ymwybod.

Roeddwn yn falch iawn pan gododd Elfed, y mab, a Dylan Williams, Garwen, dîm pêl-droed yn Nhrefor. Mae gan Elfed ddiddordeb mewn pêl-droed erioed ac yn ddiddorol iawn, yn 2002 yr ailgodwyd tîm, sef hanner can mlynedd union ar ôl i'r hen dîm ddarfod. Cafodd hwyl arno am y cyfnod y bu'n ei redeg ond roedd rhai yn anfodlon ar y llwyddiant ac eisiau tîm o hogiau Trefor yn unig – hynny yw tîm o 'Dreforians', beth bynnag y mae hynny'n ei olygu. Fe gafodd y garfan hon ei ffordd yn ddiweddarach ond i lawr ac i lawr yr aeth y tîm. Ond dyna fo, hwyrach y daw cyfnod gwell eto.

Y pêl-droediwr gorau a godwyd yn Nhrefor oedd Peredur Hughes. Cafodd gap amatur i Gymru a bu timau o Loegr ar ei ôl cyn y rhyfel. Bu Peredur farw yn ddyn ifanc yn ei ugeiniau cynnar.

Chwaraewr arall a aeth at y timau mawr yw Elwyn Hughes. Aeth i Tottenham am gyfnod ac wedyn i'r byd adloniant gan ymuno hefo'r perfformwyr byd-enwog y *Black and White Minstrels*. Brawd iddo yw Gwyndaf Hughes sydd wedi rhoi blynyddoedd yn hyfforddi pobl ifanc yn Mhwllheli ym myd y cychod hwylio.

Roeddwn yn sôn am Elwyn, fy ffrind. Yn ystod y rhyfel, daeth hogyn o Lerpwl o'r enw Fred Kilgour oedd yn siarad Cymraeg i aros hefo'i nain yng Nghroeshigol, yn ymyl Siop Miss Parry. Daeth y tri ohonom yn ffrindiau mawr a chwith garw oedd colli Fred ar ddechrau 2012. Roedd ganddo lathenni o enw, Owen Frederick George Kilgour, a daeth yr enw hwnnw'n gyfarwydd i filoedd o astudwyr Bioleg yn yr ysgolion uwchradd yn ddiweddarach gan mai fo oedd awdur y rhan fwyaf o'r gwerslyfrau. Câi Fred syniadau digon digri weithiau ac Elwyn a minnau yn ei helpu i'w cario allan. Un syniad a gafodd oedd gwneud trap dal dynion ar lan môr Tangraig. Roedd hyn pan oedd y rhyfel ar ei anterth. Dyma fynd ati a thyllu twll rhyw lathen o ddyfn a'i orchuddio wedyn hefo brigau, dail a thywod. Pwy ddaeth heibio ond Wilf Bott ac i lawr a fo i'r twll hyd at ei hanner. Wedyn, dyma hi'n ras a Wilf yn rhedeg ar ein holau ond ddaliwyd mohonom. Bu Wilf yn y rhyfel ac yn y gwaith peryglus ar y confois i Rwsia. Roedd yn un o'r hogiau oedd yn gweithio ar y cerrig beddi yn y Gwaith, ac yn un da hefyd. Bu'n gweithio yn Ferodo wedyn a daethom yn dipyn o ffrindiau.

Ond i ddod yn ôl at y teulu. Mae gennnyf ddyled i'm gwraig, Nanw, na allaf byth ei thalu'n ôl iddi hi. Cafodd amser caled ar ôl i ni briodi yn 1957. Aeth Mam yn wael a rhoddodd Nanw y gorau i'w gwaith yn Woolworths Caernarfon i edrych ar ei hôl ac wedyn i edrych ar ôl Nhad a minnau. Ganwyd Elfed yn 1960. Symudasom o Drefor i Gyrn Goch i gartref Nanw ac wedyn mi aeth mam Nanw yn wael a bu yn ei gwely am rai blynyddoedd. Bu Nhad a hithau yn wael yn yr un cyfnod. Bu Nhad farw yn 1972 a mam Nanw yn 1975. Bu'n amser caled iawn. Does gen i ond diolch iddi hi.

Bu ei thad, Owen Roberts, farw yn sydyn ryw wythnos o flaen fy Mam yn 1959. Owen Roberts oedd y dyn mwyaf diwyd ac onest yn ei waith a welais i erioed. Gosod ffyrdd haearn yn y Gwaith roedd o ac yn gryn feistr arni. Gwnaeth gylch i'r wagenni fynd o gwmpas ymyl yr hopar ar lan y môr ac roedd hynny'n hwyluso pethau'n arw.

Roedd Jane Roberts, mam Nanw, yn un ffeind iawn a chafodd hi ac Owen Roberts ddwy brofedigaeth fawr iawn. Collasant fab deg oed cyn rhyfel 1939-1945 ac wedyn collasant fab arall, David Glyn, yn y rhyfel hwnnw. Cafodd mab arall iddynt, John Owen, ei glwyfo'n bur ddrwg yn y rhyfel. Wedi gwella, priododd John Owen hefo Phoebe a mynd i fyw i Dyddyn Hywel. Cawsant ddau o blant, Jean a David Glyn, yr un enw â'i ddewyrth. Yn drist iawn, bu David bach farw yn hogyn deg oed; un annwyl a chlyfar iawn oedd o.

Ychydig ar ôl i fam Nanw farw, daeth William Pritchard, Tai Lôn â llun o fedd David Glyn yn y fynwent yn Ffrainc. Byddai hi wedi bod mor falch o weld y llun. Buom yno fel teulu yn gweld y bedd un flwyddyn; John Owen a Phoebe,

Gwladys chwaer Nanw a William ei gŵr, a Nanw a minnau. Roeddem yn falch ein bod wedi cael gweld y fynwent sy'n cael ei chadw mor ysblennydd er fod y creaduriaid mor bell o'u catref. Mae adnod Gymraeg ar fedd David Glyn.

Heddiw, mae Elfed ein mab wedi priodi hefo Jane o Bontllyfni, ac maen nhw'n byw yn Nhrefor. Mae ganddynt ddau o blant, Roberta a Tomos Huw, a hwy yw cannwyll llygaid Taid a Nain. Nid ydynt yn byth yn fy nghyfarch fel Taid ond yn hytrach galwant fi yn Bob a byddaf yn teimlo rhyw agosatrwydd mawr atynt oherwydd hyn.

Roeddwn yn sôn ynghynt am y gair sy'n cael ei fathu am bobol Trefor, sef Treforians. Nid wyf yn siŵr o darddiad y gair yma nac ychwaith beth yn union sy'n gwneud rhywun yn Dreforian; mae'n weddol newydd i mi ac yn gynnyrch rhyw genhedlaeth ddiweddarach. Yn y blynyddoedd a fu, y ffordd yr oedd y rhan fwyaf o bobl pentrefi eraill yn adnabod hogiau Trefor oedd gyda'r enw Lloyd neu yr Hen Lloyd. Os oedd hi'n ddrwg ar y cae pêl-droed, mi fyddai Lloyd yn rhan amlwg o'r sgwrs ynghlwm wrth nifer o eiriau eraill.

9   O gwmpas yr Hendra

Wrth glywed fod y siop yn Nhrefor wedi cau ar Noswyl Nadolig 2012 gan adael dim ond un ar ôl, sef y Swyddfa Bost, daeth i'm meddwl gymaint o siopau yr oeddwn i'n eu cofio yn y pentref. Arwydd o'r amserau yw'r ffaith fod siopau'n cau yn ein pentrefi. Rydym i gyd yn gwybod y rheswm pam ac yn gam neu'n gymwys yn gyfrifol am hyn. Ond diolch am hynny, mae'r siop bellach wedi ailagor.

Pan oeddwn i'n blentyn roedd Trefor yn gyforiog o siopau. O ddod i lawr yr Hen Lôn, sef y ffordd o'r Lôn Fawr ar ochr Pwllheli a heibio i Elernion a'r Eglwys a Maesyneuadd, y siop gyntaf oedd Siop Mrs Jones Bryn Coch, sydd yn y rhes tai ar y dde gyferbyn â chae Bwlcyn. Siop yn gwerthu teganau oedd hon gan fwyaf a llawer yn cynilo yno drwy'r flwyddyn erbyn y Nadolig a chael cerdyn bach i nodi'r taliadau. Roedd Griffith, gŵr Mrs Jones, yn rhedeg un o'r tacsis cynta yn Nhrefor. Bu Griffith hefyd yn godwr canu ym Maesyneuadd a'i wraig, Maggie Jane Jones, yn gyfeilydd ac yn athrawes dosbarth Ysgol Sul y plant lleiaf a rhoddodd y ddau flynyddoedd o wasanaeth i'r Capel.

Ychydig lathenni yn is i lawr, roedd Drofa (Hafan, heddiw). Y perchennog oedd Owen Thomas, neu 'Rhen Siopwr, neu Now Drofa fel y'i gelwid. Siop gwerthu pob dim dan haul oedd hon, yn hoelion, fferins, tintacs ac ati. Roedd Now Drofa yn torri gwalltiau ac yn eillio cwsmeriaid yng nghefn y siop. Ar ôl dyddiau Owen Thomas, daeth William a Gracie Thomas, aelodau eraill o'r teulu, i'w chadw. Yma y prynais i rai o'm llyfrau Cymraeg cyntaf, o gyfres y Dryw ac aml un arall.

Ar Ben Hendra, ar y chwith lle mae Fflatiau Cae Garw heddiw, roedd Annie Griffiths yn cadw'r Siop Sgidiau. Gwnaeth Mrs Griffiths gymwynas fawr yn cadw'n traed yn sych. Roedd y siop yn llawn i'r ymylon o esgidiau plant, dynion, a merched, a Mrs Griffiths yn gwybod i'r dim lle'r oedd bob pâr. Gwraig garedig a chymwynasgar oedd Mrs Griffiths ac yn helpu rhywun o hyd i ysgwyddo'r baich. Cofiaf brynu styds ffwtbol ganddi am geiniog.

Gerllaw y Siop Sgidiau roedd un o'r ddau gwt crydd a oedd yn y pentref, ac ar y dde ar draws y ffordd roedd y Stôr (lle mae tŷ Glandŵr heddiw). Dyma *Yr Eifl Workmen and Co-operative Society* – CWS yn ddiweddarach. Sefydlwyd y busnes yn wreiddiol yn Sea View, dros y ffordd â Garej Jim, ond roedd wedi symud erbyn hyn i hen siop Ben Roberts. Roedd yma dair siop –

Siop Ben Hendra ddoe a heddiw. Cerrig y Gwaith a ddefnyddiwyd i adnewyddu'r adeilad.

siop fwyd, siop ddillad a siop gig. Roedd hefyd fecws yn y cefn yn ogystal â iard lo. Miss Lily Newbold fyddai yn y Stôr Ddillad, a rhyngddi hi a'r Stôr Fwyd byddai Miss Ivy Jane Jones yn y swyddfa fach wydrog yn cadw'r cyfrifon a derbyn arian y biliau ac yn rhoi'r byd a'i drigolion yn eu lle gyda chymorth parod Lily.

Ar draws y ffordd o'r Siop Sgidiau, o anelu i lawr at yr Offis, neu i lawr yr Hendra, roedd y Siop Chips. Yma byddai Tomi a Mary Jones yn cadw busnes sglodion yn ogystal â gwerthu nwyddau cyffredinol. Ac yn is i lawr i gyfeiriad yr Offis ar Eifl Road (Ffordd yr Eifl bellach) yn Temperance House, roedd William Hughes Ellis, neu Wili Temprans, yn cadw siop. Dyma'r siop daclusaf yn Nhrefor gydag arddangosfa wych o oriaduron, lampau llaw, a gwahanol drugareddau yn y ffenest. Byddai'r siop hon yn gwerthu fferins a phapurau newydd hefyd. Roedd Wili'n gryn feistr ar wneud lluniau gwych iawn hefo pensal.

Ychydig yn is i lawr, y drws nesaf i Swyddfa'r Post, roedd siop Mr C. R. Cadwaladr, Penmaen House. Yn ogystal â gwerthu nwyddau cyffredinol roedd yn gwerthu dillad, a byddai Mr Cadwaladr yn eich mesur am siwt a honno'n eich ffitio fel maneg bob tro. Ac yn yr ardd gefn dros y ffordd yn rhif 22 Eifl Road, roedd y cwt crydd arall.

Ar y dde cyn cyrraedd y bont, roedd adeilad sinc; dyma Siop Ifan Puw a Mrs Puw, Siop Kit yn ddiweddarach. Siop lysiau oedd hon i bob pwrpas, ond roedd yn gwerthu hufen iâ cartref hefyd a hwnnw'n un gwell hyd yn oed na hufen iâ Cricieth. Bu traddodiad yn yr Hendra yn ddiweddarach mai Ifan Puw oedd wedi gwerthu'r 'gyfrinach' i siop Cricieth. O Gricieth roedd Ifan Puw yn dod yn wreiddiol ond daeth i Drefor i chwarae pêl-droed i'r tîm a chael bachiad yn y Gwaith.

Dros y bont wedyn yn y rhes tai yn Eifl Road roedd Siop Nain fel roedd pawb yn ei galw. Ym mharlwr Rhif 12 oedd y siop a gallech brynu fferins a baco ac ambell beth arall. Mr a Mrs Tom Jones (Tomi Meinar a'i wraig fel roedd pawb yn eu galw – yr un Tomi â hwnnw a welsom yn hunangofiant Yncl John) a gadwai'r siop yma ac yr oeddent yn dipyn o gymeriadau. Byddwn yn galw yma yn gyson ar nosweithiau Sadwrn; Nhad yn cael baco a fferins erbyn y Sul a minnau'n cael fferins baco, sef coconyt wedi'i falu'n fân a siocled arno. Roedd hwn yn debyg iawn i Faco'r Aelwyd y byddai Nhad yn ei gael.

Yn ôl rŵan am Ben Hendra a throi i'r dde i gyfeiriad yr Ysgol (Yr Hen Ysgol erbyn hyn). Ar y chwith, yn y tŷ cyntaf yn Green Terrace, byddai John Moi yn cadw Siop Pen Steps ac yn gwerthu paraffin a rhyw fanion eraill. Fyddai John byth bron yn cau ei esgidiau – yn hynny o beth roedd o flaen ei amser, mae'n siŵr. Dros y ffordd, roedd yna siop fach arall a Nansi, merch ifanc, yn ei chadw ac yn gwerthu pethau fel tlysau a ballu. Yn Nhanbwlch roedd cartref Nansi, ac os nad ydw i'n methu roedd ei thad yn frawd i dad Elwyn Jones, y canwr, ac yn frawd i dad Bobi a Beti a John Japheth Jones, Trefor.

Awn yn ôl dros Ben Hendra i gyfeiriad y Lôn Newydd, sef yr un sy'n mynd heibio i Dir Du a Chapas Lwyd ac yn cyrraedd y Lôn Fawr ar ochr Caernarfon. Ar y chwith roedd cwt Charlie Barbar, oedd yn lle digon prysur. Byddai John Becws yn mynd yno weithiau i helpu Charlie drwy blastro sebon shefio dros wynebau'r cwsmeriaid oedd yn dymuno'r driniaeth honno yn ogystal â

Yr enwog Gwt Charlie.

thoriad. Roedd gan Charlie gi, Rex, a fyddai'n gorwedd ar lawr y cwt, a daeth cân am 'Charlie Barbar a Rex' ar dôn *Iesu Cofia'r Plant* yn bur adnabyddus drwy'r Hendra. Mae'n debyg bod i'r gân awduraeth gyfansawdd.

Yn ymyl y cwt roedd Siop Glanrafon, lle mae offis y Moto Coch heddiw, a thros y ffordd roedd y Becws. Mae adeiladau'r Becws wedi'u tynnu i lawr yn ddiweddar i wneud maes parcio i staff y Moto Coch. William John Jones ac Elisabeth (Cis) ei wraig, rhieni fy nghyfaill John Becws, oedd yn cadw'r busnes yma. Roedd Siop Glanrafon wedi dechrau ei hoes fel siop fferyllydd, ac yn ddiweddarach bu Joe Rowlands yn cadw siop nwyddau trydan ynddi.

Wedyn am Siop Miss Parry neu Siop Blodwen, sef Miss B. J. Parry, Croeshigol Stores. Bwthyn Salula yw enw'r lle heddiw. Ar dalcen y siop roedd hysbysebion arferol y cyfnod, *Brooke Bond Tea is Good Tea* a *Colman's Mustard*. Siop fwyd oedd hon, naill ai dim un dyddiad neu'r dyddiad 'gorau' wedi hen fynd heibio! O gyfeiriad y traeth a'r cei, hon oedd y siop gyntaf ac felly roedd Miss Parry yn cael masnach y llongwyr a fyddai'n dod i'r cei pan oedd y Gwaith yn ei anterth. Roedd yn brysur iawn yr adeg honno a Blodwen yn ei helfen yn hwrjio'r peth yma a'r peth arall iddynt yng nghanol pyliau diderfyn o hymian canu. Cymeriad a hanner oedd hi. Yn ddiweddarach, pan oedd paced deg o Wdbeins yn rhyw swllt a grôt neu swllt a grôt a dima, roedd Blodwen nid yn unig yn eu gwerthu fesul un am ddwy geiniog, ond yn gwerthu hanner Wdbein am geiniog, a doedd oedran y prynwr ddim yn rhy bwysig ganddi chwaith. Roedd hi'n chwaer i Richard Parry, un o'r dynion a âi hyd yr Hendra i hel siwrans, ac a fedyddiwyd yn Dic Parri Handbag, enw sy'n dweud dipyn am y gymdeithas,

Siop Glanrafon, a'r fan fara o'i blaen. Dros y ffordd â'r siop roedd Cae Coch, lle codwyd y becws.

os nad amdano fo'i hun.

Yr oedd y Rhyt, neu'r Hut i fod yn fwy ffurfiol, sef adeilad sinc oedd yn arfer bod ar safle maes parcio'r Ganolfan heddiw a lle'r arferid chwarae biliards a snwcer, hefyd yn gwerthu fferins, sigarets a diodydd meddal ar un adeg.

10   Taw arni

A dyna ni. Dyna i chi ychydig o hanes y Gwaith a phethau eraill i'w rhoi ar gof a chadw, ond mae ambell stori nad oes fiw ei dweud! Rwyf yn ei chyfrif yn fraint o fod wedi cael gweithio yn y Gwaith, bod yn aelod o'r Band a chwarae pêl-droed. Am y Gwaith, gallaf gytuno â'r bardd a ddywedodd am y lle y bu'n gweini tymor yn ymyl Tyn y Coed, 'a dyna'r lle difyrra y bûm i ynddo rioed'. Er i mi dreulio blynyddoedd hapus iawn yn yr hen Ferodo yng Nghaernarfon a chael llawer o hwyl yno, roedd rhywbeth am y Gwaith sy'n wahanol rywsut. Mae'n dal yn eich crombil am byth ac yn rhoi llawer o ddifyrrwch i rywun wrth hel atgofion am y cyfnod hwnnw er fod y criw a oedd yno wedi mynd yn hynod o fach erbyn hyn. Ond fel yna mae bywyd; fedrwn ni ddim osgoi'r dyfodol pa mor braf bynnag yw cael edrych yn ôl.

Hwyrach y bydd yr hyn sydd wedi'i sgrifennu o fudd i rywun; byddai'n drueni i hanes yr hen bentref fel roedd a'r gymdeithas yn y Gwaith fynd yn angof. Roedd y gymdeithas yn gyffredinol yn fwy clos o lawer yr adeg honno ac ambell gymeriad yr wyf wedi sôn amdano yn gwneud y pentref yr hyn ydoedd, mae'n siŵr. Yr adeg honno hefyd roedd pawb fwy neu lai ar yr un gwastad. Mae pethau wedi newid cryn dipyn erbyn heddiw, yma fel ymhob man arall. Roedd y chwareli llechi fel y rhai cerrig yn creu rhyw gymdeithas glos eithriadol, a phawb bron yn adnabod ei gilydd ac yn medru sgwrsio. Erbyn hyn, aeth sgwrs flasus a dipyn o hwyl yn bethau digon prin. Ac os ydych yn medru chwerthin am eich pen eich hun, mae hynny'n beth mawr o'ch plaid.

Fel yna yr wyf fi yn rhyw feddwl ond hwyrach mai fi sy'n mynd yn hen ac yn hen rwdlyn diawl. Wn i ddim am hynny; mae'n well i chi ofyn i'm teulu! Byddaf yn meddwl weithiau fod mwy o genfigen i lwyddiant yn yr oes yma ond mae'n rhaid dweud na wnes i erioed deimlo hynny fy hun. Er hynny, chefais i fawr o lwyddiant unigol chwaith. Ond efallai nad yw hynny'n hollol wir; mewn gwraig ac mewn teulu cefais y gorau, a pha well llwyddiant a all neb ei ddymuno na chael aelwyd hapus?

Fel y gwelwch, mae unrhyw enillion o'r llyfr hwn yn mynd at Ambiwlans Awyr Cymru ac mae rheswm da am hynny. Yn Awst 2013 cafodd Tomos Huw, fy ŵyr, ddamwain ddrwg iawn. Dreifio lorris mawr mae Tomos Huw ac wrth lwytho un o'r rhain cafodd ei drawo o'r trelar a disgyn ar ei ben ar lawr. O ganlyniad, cafodd waedlif ar yr ymennydd a bu'n rhaid mynd ag o yn yr ambiwlans awyr o Flaenau Ffestiniog i Ysbyty Gwynedd i ddechrau ac yna ar yr un diwrnod i Uned Arbenigol yn Ysbyty Stoke i gael triniaeth frys. Cael a chael oedd hi, ond diolch byth daeth drwy'r driniaeth yn llwyddiannus. Oni bai am gyflymder yr ambiwlans awyr, mi fuasai yn rhy hwyr ac mae'n rhaid cofio'n ddiolchgar am arbenigedd y meddygon a fu'n ei drin. Bu'n gyfnod digon dyrys am sbel ond diolch fod Tomos wedi gwella'n dda iawn a diolch i bawb am eu cefnogaeth.

Mae'r teulu wedi bod wrthi'n codi arian tuag at Ambiwlans Awyr Cymru; ei fodryb Mari a'i chwaer Roberta, ac fe gerddodd ei dad, Elfed, hefo criw Cerddwn Ymlaen o Fae Colwyn i Gaerdydd yn ystod haf 2014.

Ond os oedd Awst 2013 yn gyfnod anodd, cawsom achos i ddathlu yn Awst 2014. Y rheswm am hynny wrth gwrs oedd campwaith Guto Dafydd (Tir Du, gynt) mab Dêf a Siân, yn ennill coron Eisteddfod Genedlaethol Sir Gâr. Da iawn Guto; mi glywn fwy amdano yn y dyfodol, siŵr o fod.

Termau a ddefnyddid yn y Gwaith

Bachwr: Gweithiwr oedd yn bachu a dadfachu'r cadwyni a gysylltai'r wagenni â'r rhaff wifren i'w cael i fyny ac i lawr yr inclên.

Brecar: Gweithiwr oedd yn rheoli'r drwm a chyflymdra'r wagenni i fyny ac i lawr yr inclên.

Bwyell Dau Ben: Câi hon ei defnyddio gan y torwyr cerrig i wneud gorffeniad mân, mân ar y garreg, beth bynnag ei phwrpas.

Chaser: Cŷn llydan ei flaen ar ongl fach i wneud ymyl lân ar y cerrig. Y torwyr fyddai'n defnyddio hwn.

Clem Fawr: Clem yw cylch fel hanner lleuad a osodid ar flaen gwadn esgid hoelion mawr. Byddai'r gof yn asio darn o ddur i'r glem er mwyn arbed yr esgid gan fod y setsan yn cael ei dal yn erbyn troed y setsiwr os oedd yn patro ar ei draed. Ar ôl i'r gof asio'r darn dur i'r glem, byddai'r crydd yn ei gosod ar yr esgid, a hon oedd y glem fawr.

Cwt Ffiars: Cwt i ymochel ar adeg saethu yn y Gwaith. Y term a ddefnyddid pan oedd yn amser saethu oedd amser ffiars.

Dail: Darnau cul haearn i'w gosod fesul dwy yn y tyllau hollti, a rhoi'r plygiau dur rhyngddynt i'w taro wedyn â'r moli er mwyn hollti'r garreg.

Delltan Bren a Chopr: Darn o bren neu gopr a fyddai'n cael ei ddefnyddio i bwnio'r powdr i hollt yn y graig. Pren yn mesur rhyw bedair troedfedd o hyd, dwy fodfedd o led a rhyw hanner modfedd o drwch.

Ebill 4x6 point: Ar gyfer y peiriannau tyllu; yn ffitio i mewn i'r peiriant (6 ymyl arnynt).

Eda Wen: Ymyl gwyn fel edau ar y setsan neu gerban wedi'i darfod.

Llwyth o Sbôls: Llwyth wagen o waith y malwrs.

Moli Bach: Morthwyl Trwm 18 pwys.

Moli Mawr: Morthwyl Trwm 25 pwys.

Morthwyl Patro: Morthwyl bach fyddai gan y setsiwr yn gorffen y sets gyda phant bob ochr i'r morthwyl. Os oedd y setsiwr yn patro ar draed, byddai coes y morthwyl yn hirach o sbel.

Morthwyl Pen Cŷn: Morthwyl tua 10-12 pwys gydag un pen wedi'i wneud yn fain. Defnyddid hwn i farcio llinell ar hyd y garreg cyn ei thorri. Byddai'n torri'n hawdd wedyn.

Mowldan: Carreg wedi cael ei thorri i faint hwylus i'r setsiwr weithio arni a'i thorri'n sets.

Patro: Siapio cerrig yn sets.

Plwg: Darn o ddur tua chwe modfedd o hyd a roddid rhwng y dail haearn yn y tyllau hollti.

Ponc (Bonc): Lefel wedi'i thorri i'r mynydd, ble byddai'r rhan fwyaf o'r gwaith trin yn cael ei wneud, a ble codid yr adeiladau ar gyfer y gwaith a'r offer a'r gweithwyr. Chwythu tyllau mawr fyddai dechreuad ponc cyn amled â pheidio. Roedd naw ponc yn y Gwaith.

Powdwr Hollt: Powdwr du a ddefnyddid i saethu hollt a saethu twll mawr.

Punch Llaw: Cŷn â blaen gweddol fain arno a ddefnyddid gan y torwyr.

Punch pedwar point a chwe phoint: Defnyddid y rhain i gael gorffeniad gwahanol (bras neu fân) ar y cerrig cyrbau neu'r cerrig beddi.

Right Behind: Term fyddai'n cael ei ddefnyddio gan y bachwr yn y brêc pan fyddai'n ddiogel i dynnu'r 'scotch' mawr pren i ollwng y wagenni i lawr yr inclên.

Rholan: Set weddol hir, y math a wneid yn nyddiau cynnar y Gwaith.

Scablings: Cerrig bychan tenau a ddefnyddid i bacio a chreu gwely i slipars y rheiliau.

Sciablar: Morthwyl gyda phant ynddo ac awch ar y ddwy ochr a ddefnyddid ar gyfer cael rhywfaint o siâp ar y garreg cyn ei gorffen.

Scotch: Darn mawr o bren a osodid o flaen olwynion y wagen gyntaf i'w hatal rhag cychwyn i lawr yr inclên cyn pryd.

Shots: Pelenni traul bychan a gymysgid mewn pridd neu lwch ac a dywelltid ar ben y llifiau i lifio carreg.

Troed Iâr: Toriad y garreg yn mynd o chwith.

Tyllu Dan Law: Yr hen ddull o dyllu hefo ebill llaw (hynny yw, cyn dyfodiad peiriannau i wneud y gwaith), gydag un person yn gwneud y twll.

Tyllu Dwbwl Hand: Yr hen ddull eto ond bod dau wrth y gwaith; y naill yn dal a throi yr ebill a'r llall yn trawo hefo morthwyl trwm.

Cyfres Llyfrau Llafar Gwlad – rhai teitlau

Cyfrol o ddiddordeb:

Heli yn ein Gwaed

PYSGOTWYR LLŶN

'Mae'n anodd iawn gadael
y môr unwaith yr ydach chi
wedi dechra efo fo ...'

Dewi Alun Hughes